Nathalie Chevalier
Dominique Fortier
Roger Lazure
Karine Pouliot
Emanuele Setticasi

Têtes d'affiche

Français • Premier cycle du secondaire

Manuel A

LES ÉDITIONS
CEC
☺ QUEBECOR MEDIA

8101, boul. Métropolitain Est, Anjou (Québec) Canada H1J 1J9
Téléphone : (514) 351-6010 • Télécopieur : (514) 351-3534

Directrice de l'édition
Danielle Lefebvre

Directrice de la production
Danielle Latendresse

Directrice de la coordination
Sylvie Richard

Chargée de projet
Sophie Aubin

Réviseure linguistique
Suzanne Delisle

Recherchistes iconographiques
Sophie Aubin, Monique Rosevear

Correctrice d'épreuves
Jacinthe Caron

Consultants pédagogiques
Louise Chevrier, enseignante à l'école Félix-Leclerc (C.S. Marguerite-Bourgeoys)
Maxime Gagnon, enseignant à l'école Daniel-Johnson (C.S. Pointe-de-l'Île)
Suzanne Richard, didacticienne du français
Nancy Savage, enseignante à l'école Poly-Jeunesse (C.S. Laval)

Les auteurs tiennent à remercier Catherine Aubin, Frédéric Dion, Daniel Marleau et Odile Perpillou.

Conception et réalisation graphique du manuel et de la couverture

matteau parent
graphisme et communication

Mélanie Chalifour
(conception et réalisation graphique)
Nancy Boivin (conception graphique)
Chantale Nolin (signature)

Illustration originale de la couverture
Paule Thibault

Illustrations originales des pages intérieures
Chantale Audet : p. 26 (illustration du cahier d'activités), 31, 65, 66, 94, 102, 116, 124, 125, 150, 170, 189, 196, 204-205, 207, 211, 212, 216, 246, 289, 293, 305, 323, 340, 356, 404, 414, 415.

Steve Beshwaty : p. 21, 33, 35, 40-41, 54, 89, 104, 133, 148, 153, 179, 186, 215, 217, 302-303, 306-307, 311, 364, 392, 408, 425.

Rogé Girard : p. 5-6.

Stéphane Jorisch : p. 13, 25, 48, 90, 92, 98, 143, 147, 171-174, 181, 188, 198, 201, 220, 367, 368, 371, 372, 417, 435.

Marie Lafrance : p. 129, 243, 256, 359, 424, 430, 431.

Céline Malépart : p. 14, 226, 248, 257, 258, 322, 353, 357, 423, 427.

Chantale Nolin : p. 126, 199, 206, 209, 215, 227-228, 238.

Paule Thibault : p. 1, 2-3, 17, 22-23, 51, 52-53, 60, 72, 105, 111, 112-113, 127, 166, 168-169, 187, 190, 221, 255, 269, 270-271, 277, 279, 297, 327, 328-329, 334, 368-369, 379, 381, 389, 390-391, 410, 444.

Dans cet ouvrage, la féminisation des titres de fonctions et des textes s'appuie sur des règles d'écriture proposées par l'Office de la langue française dans le guide *Au féminin*, Les publications du Québec, 1991.

Les Éditions CEC inc. remercient le gouvernement du Québec de l'aide financière accordée à l'édition de cet ouvrage par l'entremise du Programme de crédit d'impôt pour l'édition de livres, administré par la SODEC.

© 2005, Les Éditions CEC inc.
8101, boul. Métropolitain Est
Anjou (Québec) H1J 1J9

Dépôt légal : 1er trimestre 2005
Bibliothèque nationale du Québec
Bibliothèque nationale du Canada

ISBN 2-7617-2125-X

Imprimé au Canada
3   4   5   09   08   07   06

Abréviations, sigles et pictogrammes utilisés dans le manuel

Pictogrammes

 Activité préparatoire au projet.

 Activité pouvant être réalisée en équipe ou en coopération.

 Activité pouvant être accomplie à l'aide d'un ordinateur.

 Activité contenant des erreurs à repérer et à corriger.

 Renvoi à une fiche reproductible.

 Renvoi au carnet de lecture.

 Renvoi au RECUEIL DE TEXTES.

 Renvoi à la VIDÉOCASSETTE en lien avec la communication orale.

 Renvoi aux sections « Lecture », « Écriture » et « Communication orale » de la section « Points de repère » présentée à la fin du manuel.

 Renvoi aux sections « Lexique », « Grammaire », « Conjugaison » et « Orthographe lexicale » de la section « Points de repère » présentée à la fin du manuel.

 Texte ou contenu lié à d'autres matières.

Abréviations

Groupes de base
Groupe complément de phrase = G complément de phrase
Groupe du nom sujet = GN sujet
Groupe du verbe prédicat = GV prédicat

Groupes de mots
Groupe de l'adjectif = GAdj
Groupe de l'adverbe = GAdv
Groupe du nom = GN
Groupe du verbe = GV
Groupe prépositionnel = GPrép

Fonctions syntaxiques
Attribut du sujet = attr. du S
Complément = compl.
Complément de l'adjectif = compl. de l'Adj
Complément direct du verbe = compl. direct du V
Complément du nom = compl. du N
Complément du pronom = compl. du Pron
Complément du verbe = compl. du V
Complément indirect du verbe = compl. indirect du V
Prédicat = prédicat
Sujet = S

Classes de mots
Adjectif = Adj
Adverbe = Adv
Conjonction = Conj
Déterminant = Dét
Nom = N
Participe passé = Part. p.
Préposition = Prép
Pronom = Pron
Verbe = V

Autres
Féminin = f.
Invariable = inv.
Masculin = m.
Personne = pers.
Phrase = P
Pluriel = pl.
Singulier = s.
Subordonnée = sub.
Subordonnée relative = sub. rel.

Pour comprendre la structure de ton manuel

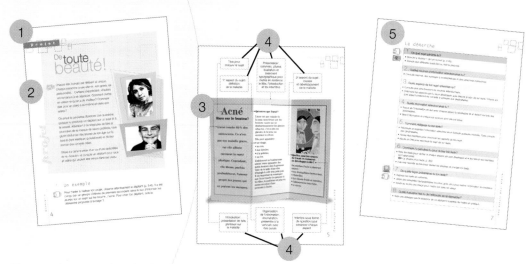

Dans chacun des huit dossiers de ton manuel, un projet[1] te permettra de développer tes compétences en lecture, en écriture et en communication orale. À l'aide d'un texte de présentation[2], on t'amène à te poser des questions sur le thème du dossier et à mieux comprendre le but du projet. On te propose ensuite un exemple[3] du produit final. Cet exemple est annoté[4] de manière à mettre en évidence les connaissances et les stratégies utiles à la réalisation de ton projet. Enfin, une démarche[5] t'aidera à organiser ton travail.

Chaque dossier comporte un zoom culturel[6] qui te suggère des œuvres[7] qui pourront t'inspirer dans ton projet. Il peut s'agir de romans, de contes, de chansons, de films, de pièces de théâtre, de sites Internet, etc. De plus, on te suggère des activités pour enrichir un carnet de lecture dans lequel tu consigneras tes impressions sur les œuvres que tu liras tout au long de l'année scolaire. Ces activités sont rassemblées dans un encadré[8].

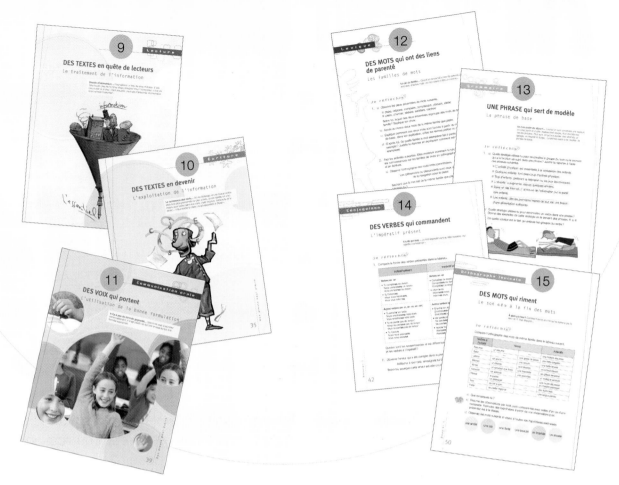

Pour réaliser ton projet ou pour développer tes compétences en français, on te proposera des situations d'apprentissage en lecture[9], en écriture[10] et en communication orale[11]. Tu pourras également acquérir des connaissances et mettre au point des stratégies grâce à des activités liées à des éléments d'apprentissage comme le lexique[12], la grammaire[13], la conjugaison[14] et l'orthographe lexicale[15]. Dans chaque situation ou activité d'apprentissage, on te suggère la démarche suivante : « Je réfléchis », « Je m'entraîne » et « Je vais plus loin ». Tout au long de ta démarche, tu pourras te référer à la rubrique « Mise au point ».

Dans toutes les situations et activités d'apprentissage, tu peux toujours te référer à la section « Points de repère ». Ce sera ta petite grammaire. En vert[16], il s'agit des connaissances et des stratégies pour développer tes compétences en lecture, en écriture et en communication orale. En bleu[17], il s'agit de connaissances linguistiques liées au lexique, à la grammaire, à la conjugaison et à l'orthographe lexicale.

Table des matières

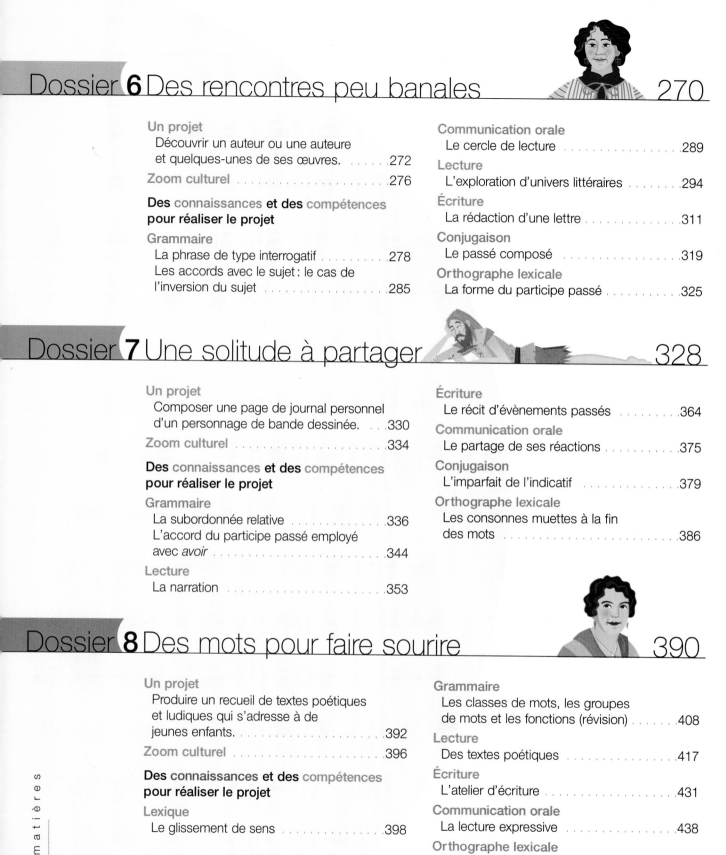

Introduction

Voici le MANUEL A de la collection *Têtes d'affiche* : il est constitué de huit dossiers d'apprentissage, qui font écho à ceux du RECUEIL DE TEXTES. Chaque dossier comporte cinq situations d'apprentissage : un projet à réaliser, un «zoom culturel», des situations d'apprentissage en lecture, en écriture et en communication orale ainsi que des activités liées aux éléments d'apprentissage.

Un bref aperçu des projets qui t'attendent tout au long de l'année scolaire donne à penser que tu ne t'ennuieras pas puisque les thèmes sont près de tes préoccupations ! Tu pourrais réaliser un dépliant sur un sujet lié à la beauté (*Dossier 1*) ou bien raconter des aventures dans un univers de ton choix (*Dossier 2*). Que dirais-tu de décrire ta chambre à coucher (*Dossier 3*) ou de faire le portrait d'un personnage émouvant (*Dossier 4*) ? Tu pourrais aussi créer un message publicitaire (*Dossier 5*), te préparer à une rencontre avec un auteur ou une auteure (*Dossier 6*). Enfin, que penses-tu d'écrire le journal intime d'un personnage de fiction (*Dossier 7*) ou alors de concevoir un recueil de poésie pour des enfants (*Dossier 8*) ? C'est un programme bien chargé ! En réalisant chacune de ces tâches, tu développeras tes compétences en français tout en découvrant la richesse des mots et des livres. D'un projet à l'autre, tu deviendras de plus en plus habile à créer des liens entre le français et d'autres matières, entre l'école et le monde qui t'entoure.

Et pour t'accompagner dans tes réalisations, on te présentera de grandes figures culturelles. Cyrano de Bergerac, Alexandra David-Néel, Vincent Van Gogh, Cosette, Henri de Toulouse-Lautrec, George Sand, Robinson Crusoé et La Bolduc t'inspireront dans toutes tes démarches. Ces hommes et ces femmes seront tes modèles de ténacité, de créativité, de courage et d'éloquence. Tous, ils ont conquis le monde à leur façon. À toi de conquérir le tien !

Les auteurs

Dossier 1 Des atouts pour plaire

Je m'appelle Cyrano de Bergerac. Si je suis si connu aujourd'hui, c'est parce qu'en 1897, Edmond Rostand a fait de moi le héros d'une pièce de théâtre. Toutefois, il faut savoir que Cyrano de Bergerac a réellement existé. En effet, au XVIIe siècle vivait un poète appelé Cyrano qui me ressemblait beaucoup. Ce poète a inspiré Rostand. Ironiquement, moi, Cyrano-le-personnage, je suis plus connu que Cyrano-le-vrai.

Qu'ai-je donc de si spécial pour qu'on s'intéresse autant à moi? En fait, deux choses : mon nez et mon esprit. J'ai un gros nez, un très gros nez. J'en suis parfois gêné. Pour compenser, j'ai donc développé un talent pour la parole, pour les répliques savoureuses et pour les mots d'esprit. Je sais plaire aux gens, malgré mon physique ingrat. Je suis courageux et généreux. De plus, j'ai une personnalité extraordinaire et j'estime que c'est ce qui plaît tant à mes nombreux amis. Plus que la beauté ou la richesse, la personnalité est ce qui plaît par-dessus tout. C'est ce qui rend un être agréable aux yeux des autres. Il faut parfois faire des efforts pour plaire. C'est un peu compliqué... Il y a mille recettes. Chaque personne doit trouver la sienne.

Edmond Rostand
(1868-1918)

Edmond Rostand est né en France en 1868. Il fait des études de droit mais, hanté par le besoin d'écrire, il n'exercera jamais ce métier. Il écrit pour le théâtre, il compose des poèmes... mais sans succès. En 1890, il épouse Rosemonde Gérard, poète reconnue à son époque. Le temps passe ; Edmond s'obstine à écrire... et ne connaît toujours pas le succès. En 1897, la gloire arrive enfin avec *Cyrano de Bergerac*. Le succès de la pièce est instantané. C'est le triomphe. Edmond Rostand reçoit la Légion d'honneur. En 1901, il est élu membre de l'Académie française. Il écrira ensuite deux autres pièces et de nombreux poèmes qui seront moins célèbres.

Un projet Concevoir un dépliant sur la beauté.	**Grammaire** La phrase de base L'accord du verbe La phrase de type impératif	**Écriture** L'exploitation de l'information	**Conjugaison** L'impératif présent L'infinitif présent
Zoom culturel	**Lecture** Le traitement de l'information	**Communication orale** L'utilisation de la bonne formulation	**Orthographe lexicale** Le son « è » à la fin des mots
Des connaissances et des compétences pour réaliser le projet			
Lexique Les familles de mots			

3   D e s   a t o u t s   p o u r   p l a i r e

De toute beauté !

Chaque être humain est différent et unique. Chaque personne a ses talents, son genre, sa personnalité… Certains s'apprécient ; d'autres ont tendance à se déprécier. Comment mettre en valeur ce qu'on a de meilleur ? Comment faire pour se plaire à soi-même et plaire aux autres ?

Ce projet te permettra d'explorer ces questions puisque tu produiras un dépliant sur un sujet lié à la beauté. Attention ! Il ne s'agit pas de faire la promotion de ta marque de savon préférée, mais plutôt d'informer des jeunes de ton âge sur la beauté (tant intérieure qu'extérieure) et de leur donner des conseils utiles.

Glisse-toi dans la peau d'un ou d'une spécialiste de la « beauté » et conçois un dépliant pour ceux et celles qui veulent être mieux dans leur peau.

Un exemple

Pour t'aider à réaliser ton projet, observe attentivement le dépliant (p. 5-6). Il a été conçu par un groupe d'élèves de première secondaire dans le but d'informer les jeunes sur un sujet qui les touche : l'acné. Pour créer ton dépliant, suis la démarche proposée à la page 7.

Présentation :
colonnes, pliures,
illustration et
traitement
typographique pour
mettre en évidence
le titre, l'introduction
et les intertitres

1er aspect du sujet :
définition
de la maladie

2e aspect du sujet :
causes
et développement
de la maladie

Acné

Haro sur le bouton !

L'acné touche 80 % des adolescents. Ce n'est pas une maladie grave, car elle affecte rarement la santé physique. Cependant, elle blesse, parfois profondément, l'amour-propre des jeunes qui en portent les marques.

Qu'est-ce que l'acné ?

L'acné est une maladie de la peau caractérisée par des boutons causés par un dysfonctionnement des glandes sébacées, c'est-à-dire les glandes de la peau qui sécrètent le sébum.

Elle peut apparaître :

- au visage,
- au cou,
- aux épaules,
- à la poitrine,
- au dos.

L'adolescent ou l'adolescente atteint verra apparaître des petits boutons dont la grosseur varie de la taille d'une tête d'épingle à celle d'un petit pois. Il est important de remarquer que l'acné touche les garçons et les filles ; le problème est plus ou moins accentué d'une personne à l'autre.

Quelles sont les causes de l'acné et comment se développe-t-elle ?

On attribue l'acné à plusieurs causes :

- les déséquilibres hormonaux,
- l'hérédité,
- les climats froids et humides,
- l'alimentation trop riche,
- le stress.

Organisation
de l'information :
énumération
présentée à la
verticale avec
des puces

Intertitre sous forme
de question pour
annoncer chaque
aspect

3e aspect du sujet :
prévention
de la maladie

Prise en compte
du destinataire : utilisation
du vouvoiement

L'adolescence est une période caractérisée par les déséquilibres hormonaux. Au moment de la puberté, l'afflux hormonal entrave le fonctionnement des glandes sébacées qui se mettent à produire du sébum en très grande quantité. Si les pores de la peau sont obstrués, le sébum s'accumule et forme le comédon (appelé aussi «point noir»). Des bactéries peuvent alors transformer le sébum en acides gras, formant ainsi la papule (bouton ou lésion rouge). Finalement, la multiplication des bactéries entraîne l'apparition d'une pustule !

Comment éviter l'acné ?

L'acné fait partie de la période de l'adolescence. Rares sont les jeunes qui y échappent totalement. Cependant, certains gestes et certaines habitudes aident à maîtriser cette infection cutanée.

- Lavez-vous régulièrement avec de l'eau et du savon (choisissez un savon recommandé par les dermatologues).

- Faites des exercices physiques qui activeront les glandes sudoripares, favorisant ainsi l'évacuation du sébum. Après les exercices, une douche est nécessaire.

- Évitez une alimentation trop riche (chocolat, croustilles, hamburgers, pizza).

- Limitez l'usage du maquillage (la peau doit respirer…).

- Buvez beaucoup d'eau.

Comment traiter l'acné ?

Vous avez parfois quelques boutons : ne vous affolez pas ! Normalement, ils devraient disparaître d'eux-mêmes.

Vous êtes victime d'une importante poussée de papules : consultez un ou une dermatologue. Ces spécialistes peuvent traiter votre peau à l'aide de savons ou d'onguents vraiment efficaces.

ATTENTION ! Il est déconseillé de triturer les boutons. Vous ne ferez qu'irriter davantage la zone atteinte, la cicatrisation sera plus longue et vous risquez d'infecter la plaie, ce qui pourrait laisser une cicatrice. Si une pustule vous gêne particulièrement, prenez une douche chaude (cela dilate les pores de la peau et permet au pus de s'échapper naturellement) et lavez la zone affectée. N'espérez pas de miracle : il faut un peu de temps avant qu'un bouton disparaisse complètement.

Prise en compte
du destinataire :
explication d'un
terme technique

4e aspect du sujet :
traitement
de la maladie

Présentation :
traitement
typographique
particulier et fond
de couleur pour
mettre la mise
en garde en évidence

La démarche

1. De quel sujet parleras-tu?

- Survole le dossier 1 de ton recueil (p. 2-45).
- Discute des différents sujets liés au thème proposé.

2. Quelles sources d'information sélectionneras-tu?

- Consulte Internet, des ouvrages à la bibliothèque et des personnes-ressources.

3. Quels aspects de ton sujet retiendras-tu?

- Consulte plus attentivement les sources sélectionnées.
- Détermine les aspects que tu veux développer, puis élabore le plan de ton texte. Prévois sur quel aspect porteront les conseils à adresser aux destinataires.

4. Quelle information sélectionneras-tu?

- Trouve de l'information en lien avec chaque aspect à développer et en tenant compte des destinataires.
- Note l'information et indique les sources dont elle est issue.

5. Comment rédigeras-tu ton texte?

- Reformule et organise l'information sélectionnée et formule quelques conseils. Tiens compte des destinataires.
- Ajoute des intertitres pour annoncer les aspects de ton sujet.
- Ajoute un titre pour annoncer le sujet de ton texte.

6. Comment t'y prendras-tu pour réviser ton texte?

- Relis ton texte pour vérifier si chaque aspect est bien développé et si ton titre et tes intertitres sont appropriés.
- Fais une nouvelle lecture pour réviser tes phrases et corriger ton texte.
  La révision d'un texte, p. 453

7. De quelle façon présenteras-tu ton texte?

- Dispose ton texte en colonnes.
- Utilise des procédés typographiques (couleur, gras, etc.) pour mettre l'information en évidence.
- Ajoute au moins une image pour mettre ton texte en valeur.

8. Quelle évaluation fais-tu de l'efficacité de ta démarche?

- Note une stratégie que la rédaction de ce dépliant t'a permis de mettre en pratique.

Zoom culturel

Des lectures

SARFATI, Sonia. *Comme une peau de chagrin*, Montréal, Les éditions de la courte échelle, 1995, 151 p. (Collection Roman +)

Sonia SARFATI

Dans une quête de perfection absolue, Frédérique devient anorexique. Ses amis devront déployer tous leurs efforts afin de lui faire voir son problème. Réussiront-ils à lui sauver la vie?

LIENHARDT, Jean-Michel. *Anne et Godefroy*, Saint-Lambert, Soulières éditeur, 2000, 196 p. (Collection Graffiti)

Les familles d'Anne et de Godefroy sont ennemies depuis longtemps. Pourtant, les deux jeunes gens qui se sont rencontrés au hasard d'une promenade à cheval sont follement amoureux. Leur passion survivra-t-elle au code d'honneur du XIIe siècle?

PLANTE, Raymond. *Le dernier des raisins*, Montréal, Éditions Boréal, 1991, 150 p. (Collection Boréal Inter)

Raymond PLANTE

François décide de tout mettre en œuvre pour séduire Anik. Cependant, pour cet adolescent intellectuel, féru de musique classique, amateur de lecture, allergique aux sports, fils de notaire et petit-fils du propriétaire de l'unique salon funéraire du village, la chose n'est pas des plus simples…

ROSTAND, Edmond. *Cyrano de Bergerac*, Paris, Librio, 1996, 186 p. (Collection Théâtre)

Cyrano aime secrètement Roxane, mais comme il est défiguré par un appendice nasal démesuré, il ne pourra jamais lui avouer directement son amour. La belle, qui ignore tout des sentiments de son ami d'enfance, n'a d'yeux que pour le beau Christian. Malheureusement, Christian ne sait pas parler d'amour et, en cette époque où la beauté prime sur tout, s'exprimer avec aisance est une nécessité absolue pour conquérir le cœur de la jeune fille. Découragé par son manque de vocabulaire, Christian devra demander l'aide de l'éloquent Cyrano qui verra là, enfin, la possibilité d'exprimer son amour caché.

À la bibliothèque de ton école ou de ton quartier, tu trouveras des revues, des encyclopédies ou des livres sur des sujets tels que :

- l'estime de soi,
- la mode,
- l'hygiène,
- la beauté à travers les âges ou selon les peuples,
- la sociabilité,
- la personnalité.

Des visites au musée

Les musées présentent des expositions thématiques qui permettent d'observer des costumes d'époque, d'apprendre l'histoire ou de découvrir les moyens utilisés autrefois pour se plaire à soi-même et plaire aux autres… Informe-toi !

Des films et des pièces de théâtre

Dans les œuvres cinématographiques et les pièces de théâtre, tu peux aussi découvrir des personnages qui ont marqué l'histoire de la séduction. L'image des acteurs imitant la figure de proue dans le film *Titanic* est devenue un classique. La scène où Roméo tente de charmer Juliette sous le balcon (dans la célèbre pièce de Shakespeare) est aussi un classique. Tu peux sans doute trouver de nombreux autres exemples !

Dans ton carnet de lecture, note les titres des œuvres que tu as lues, vues ou entendues et qui sont liées à la thématique de ce dossier. Écris une appréciation personnelle pour chacune de ces œuvres.

DES MOTS qui ont des liens de parenté

Les familles de mots

Un air de famille... Quand on reconnaît le lien de parenté d'un mot avec d'autres mots, ce mot cesse d'être un inconnu.

Je réfléchis

1. a) Observe les deux ensembles de mots suivants.

   1 plaire, déplaire, complaire, complaisant, plaisant, plaisir
   2 plaire, charmer, séduire, satisfaire, captiver

   Selon toi, lequel des deux ensembles regroupe des mots de la même famille ? Explique ton choix.

   b) Ajoute au moins deux mots de la même famille que *plaire*.

   c) Explique comment ces deux mots sont formés à partir du même mot de base ; dans ton explication, utilise les termes *préfixe* ou *suffixe*.

   d) D'après toi, de quelle famille le mot *exemplaire* fait-il partie : *plaire* ou *exemple* ? Justifie ta réponse en expliquant comment est formé le mot *exemplaire*.

2. Fais les activités suivantes. Elles montrent comment tu peux tirer profit de tes connaissances sur les familles de mots en orthographe, en lecture et en écriture.

   a) Observe l'orthographe des mots entre parenthèses.

   > Les (plèsanciers ou plaisanciers) sont ceux qui font de la navigation pour le plaisir.

   Sachant que le mot est de la même famille que *plaire*, comment l'écrirais-tu ?

b) Sachant que le mot en couleur dans la phrase ci-dessous est de la même famille que *plaire*, quel sens lui donnes-tu parmi les sens suivants ?

Elle se complaît dans ses illusions.

1 Avoir des complexes.   2 Trouver son plaisir.   3 Se plaindre.

c) Pour exprimer autrement l'idée contenue dans la phrase ci-dessous, utilise des mots de la même famille que *plaire* et complète les phrases 1 et 2.

Cette personne ne me plaît pas.

1 Cette personne me ▬▬▬.

2 Je trouve cette personne ▬▬▬.

d) Les activités que tu viens de faire illustrent au moins trois avantages à connaître les familles de mots. Donne deux de ces avantages.

Les familles de mots

Voici quatre cas où des connaissances sur les familles de mots peuvent être utiles.

1. Tu t'interroges sur l'orthographe d'un mot.

    terre
    Ex. : *Atterrissage*

2. Tu veux cerner le sens d'un mot qui ne t'est pas familier.

    « être jeté par terre », au sens figuré
    Ex. : *Il est atterré par cette mauvaise nouvelle.*

3. Tu veux formuler une idée autrement, par exemple pour rédiger un résumé.

    Ex. : *La vie existe-t-elle ailleurs que sur la Terre ?*

    ➤ *La vie extraterrestre existe-t-elle ?*

4. Tu veux reprendre une information et établir un lien avec cette information.

    Ex. : *L'avion a dû atterrir de toute urgence. Heureusement, l'atterrissage s'est fait sans difficulté.*

    La formation des mots, p. 459

Des atouts pour plaire

Je m'entraîne

1. Voici cinq mots transcrits selon l'alphabet phonétique, dont les symboles traduisent chacun un son.

   1 ãbeli   2 ɛ̃kɔ̃disjɔnɛl   3 nuʀisã   4 disɡʀasjø   5 aseniʀ

   a) Consulte l'alphabet phonétique présenté dans les premières pages d'un dictionnaire pour traduire oralement les cinq mots. Écris ces cinq mots, puis donne le mot de base à partir duquel chacun est formé.

   Ex. : ãtɛʀmã = *enterrement* (mot de base : terre)

   b) Vérifie l'orthographe des mots dans un dictionnaire.

2. Lis le texte ci-dessous.

   > L'insomnie qui précède **invariablement** les examens est en général peu **problématique**. Toutefois, une insomnie **persistante** est souvent liée à un trouble qui peut **s'aggraver**.

   Complète la définition des mots en couleur en utilisant chaque fois un mot de même famille.

   Ex. : *Il est atterré par cette mauvaise nouvelle.*
   Est atterré : est jeté par terre *, au sens figuré.*

   1 Insomnie : manque de ▬▬.
   2 Invariablement : de manière non ▬▬.
   3 Problématique : qui comporte des ▬▬.
   4 Persistante : qui ▬▬.
   5 S'aggraver : devenir plus ▬▬.

3. Pour chaque paire de phrases, trouve un mot de la même famille que le ou les mots en couleur pour compléter la seconde phrase.

   Ex. : *La vie existe-t-elle ailleurs que sur la Terre ?*
   ➤ *La vie* extraterrestre *existe-t-elle ?*

   1 Un rythme de vie qui n'est pas **régulier** peut favoriser l'insomnie.
   ➤ Un rythme de vie ▬▬ peut favoriser l'insomnie.

   2 Se coucher et se lever **tard** n'est pas **conseillé** si l'on veut améliorer la qualité de son sommeil.
   ➤ Les couchers et les levers ▬▬ sont ▬▬ si l'on veut améliorer la qualité de son sommeil.

Je vais plus loin

Préparation au projet Cette activité t'aidera à développer ton habileté à reformuler l'information que tu as trouvée et à écrire un bon résumé.

a) Lis le texte suivant.

> Vous avez l'impression que les amis manquent dans votre quotidien et cela vous rend triste ? Être sociable, voilà la clé pour tisser des liens. Voici trois façons de se comporter qui peuvent favoriser le développement des rapports avec les autres.
>
> **1.**
> Arrachez-vous à votre solitude : sortez, baladez-vous, diversifiez vos activités.
>
> **2.**
> Faites les premiers pas et, si le contact est bon, faites des efforts pour développer la relation.
>
> **3.**
> Évitez de faire des critiques négatives et soyez à l'écoute des autres.

b) Reformule le texte en utilisant des mots de la même famille pour remplacer les mots en couleur. Utilise moins de mots pour que le texte soit plus court. Ton résumé ne devrait pas contenir plus de 50 mots.

Ex. : **Texte à récrire :** *Tatouages permanents, tatouages temporaires, perçage... Depuis quelque temps, on voit ressurgir, dans nos sociétés occidentales, ces marquages corporels.* (18 mots)

Texte récrit : *De plus en plus d'Occidentaux marquent leur corps de diverses manières : tatouages, perçage.* (14 mots)

Des atouts pour plaire

13

UNE PHRASE qui sert de modèle

La phrase de base

Un bon point de départ... Lorsqu'on veut construire une maison, on peut partir d'un plan relativement simple, d'un modèle qui servira de base. Plus tard, on pourra ajouter une véranda, un garage, un deuxième étage... La phrase aussi a un modèle : la phrase de base.

Je réfléchis

1. **a)** Quelle stratégie utilises-tu pour reconnaître le groupe du nom ou le pronom qui a la fonction de sujet dans une phrase ? Justifie ta réponse à l'aide des phrases suivantes.

1 L'activité physique est essentielle à la croissance des enfants.

2 Quelques enfants font beaucoup d'activité physique.

3 Trop d'enfants préfèrent la télévision ou les jeux électroniques.

4 L'obésité a augmenté depuis quelques années.

5 Dans un site Internet, j' ai trouvé de l'information sur la santé des enfants.

6 Les enfants, dès les premières heures de leur vie, ont besoin d'une alimentation suffisante.

b) Quelle stratégie utilises-tu pour reconnaître un verbe dans une phrase ? Donne des exemples de cette stratégie en te servant des phrases 1 à 6.

c) De quelle couleur est le filet qui entoure les groupes du verbe ?

d) Lis les énoncés ci-dessous. Détermine lequel de ces énoncés est vrai. Justifie ta réponse à l'aide d'une des phrases 1 à 6 de la page précédente.

Ⓐ Une phrase de base doit obligatoirement comprendre trois groupes.

Ⓑ Dans une phrase de base, un seul groupe est obligatoire.

Ⓒ Une phrase de base peut comprendre un groupe qui peut être supprimé et déplacé.

e) Dans les phrases 4 à 6, le groupe encadré en rose a la fonction de complément de phrase. Que remarques-tu à propos de la ponctuation quand le complément de phrase n'est pas à la fin de la phrase ?

f) Du point de vue du sens, quelle information le complément de phrase ajoute-t-il dans les phrases 4 à 6 ?

g) Lequel des énoncés suivants décrit le mieux ce qu'il advient du sens des phrases 4 à 6 lorsqu'on supprime le complément de phrase ?

Ⓐ La phrase ne change pas complètement de sens, mais elle est moins précise.

Ⓑ La phrase change complètement de sens.

2. En te référant aux exemples du numéro 1, encadre les trois groupes de base dans la phrase suivante.

Ces deux amis pratiquent la marche rapide
pour se rendre à l'école.

Mise au point

La phrase de base

Pour mieux saisir le sens d'une phrase, pour vérifier ou modifier la construction d'une phrase ou pour vérifier sa ponctuation, il est nécessaire de faire l'analyse de la phrase.

Pour analyser une phrase, il faut être capable de reconnaître les groupes de base qui la constituent : le groupe du nom sujet (GN sujet), le groupe du verbe prédicat (GV prédicat) et le ou les groupes compléments de phrase (G complément de phrase). La phrase de base est un modèle qui peut t'aider à faire cette analyse.

La phrase de base, p. 464
Les manipulations syntaxiques, p. 462

Je m'entraîne

a) Relève les phrases qui respectent le modèle de la phrase de base.

> 1 Vous êtes fatigué pendant vos cours. 2 Et pourtant! 3 Vous vous couchez assez tôt. 4 Vous mangez suffisamment. 5 Que se passe-t-il? 6 Examinez attentivement le contenu de votre boîte à lunch. 7 Certains plats préparés contiennent beaucoup de sucre. 8 Les boissons aux fruits sont aussi très sucrées. 9 Saviez-vous que, chez certaines personnes, un surplus de sucre peut causer de la somnolence? 10 Le secret pour être en forme : une alimentation saine et équilibrée.

b) Dans les phrases que tu as relevées, encadre chacun des groupes de base d'une couleur différente.

Je vais plus loin

Préparation au projet

Cette activité te permettra de rédiger des phrases et de porter une attention particulière à leur construction.

a) Lis le contenu de l'encadré.

Tout au long de la journée, augmentez les périodes d'activité physique.

	AUGMENTATION		
	1er mois	2e mois	5e mois
Exercices modérés chaque jour	20 min	30 min	60 min
Exercices vigoureux chaque jour	10 min	35 min	45 min

Exercices modérés : marche, patinage, bicyclette, natation, jeux d'extérieur, etc.
Exercices vigoureux : course, soccer, hockey, danse, etc.
Une personne physiquement active manifeste de saines habitudes de vie.

Source : *Guide familial d'activité physique pour les enfants du Canada*, Santé Canada, 2002,
© Adapté et reproduit avec la permission du Ministre des Travaux publics et Services gouvernementaux Canada, 2004.

b) Reformule l'information et les conseils présentés dans l'encadré en tenant compte des consignes suivantes :

- emploie six phrases qui respectent le modèle de la phrase de base ;
- dans tes phrases, encadre chacun des groupes de base d'une couleur différente ;
- si l'une de tes phrases ne comprend aucun groupe complément de phrase, vérifie s'il serait possible et intéressant d'y ajouter une précision à l'aide d'un tel groupe.

UN MOT qui sait recevoir

L'accord du verbe

> **Règle de politesse grammaticale...** C'est le sujet qui donne sa personne et son nombre au verbe et non l'inverse.

Je réfléchis

1. a) Observe la différence entre les terminaisons des verbes dans les phrases suivantes.

> **1** | Les poils | recouvr**aient** tout le corps de nos ancêtres |.
>
> **2** | Cette pilosité plus dense | jou**ait** un rôle protecteur |.

Cette différence s'entend-elle à l'oral ?

b) Parmi les énoncés suivants, lesquels expliquent pourquoi les terminaisons de ces verbes sont différentes à l'écrit ?

- Ⓐ Les verbes sont conjugués à des temps différents.
- Ⓑ L'accord des verbes en personne ou en nombre est différent.
- Ⓒ Le groupe du nom sujet n'est pas de la même personne ou du même nombre dans les deux phrases.

c) Par quels pronoms peux-tu remplacer le groupe du nom sujet dans les phrases **1** et **2** ?

d) Par quel pronom peux-tu remplacer les groupes du nom sujets dans la phrase suivante ?

> Aujourd'hui, | les cheveux |, | les poils | et | les cils |
>
> | jouent | encore un rôle protecteur |.

2. a) Nomme toutes les personnes grammaticales qu'un verbe peut recevoir.

b) Donne un exemple pour prouver que le pluriel d'un verbe est différent de celui d'un nom ou d'un adjectif.

Mise au point

L'accord du verbe

Il n'est pas suffisant de connaître la règle d'accord du verbe pour toujours réussir à l'accorder correctement. Tu dois aussi savoir :

- reconnaître le verbe dans la phrase ;
- délimiter le groupe du nom sujet et reconnaître son noyau (le donneur d'accord du verbe) ou reconnaître simplement le pronom sujet ;
- déterminer la personne (1re, 2e ou 3e pers.) et le nombre (s. ou pl.) du nom noyau du groupe du nom sujet ou du pronom sujet.

Les classes de mots, p. 470
La phrase de base, p. 464
Les accords, p. 484

Je m'entraîne

1. **a)** Dans chacune des phrases suivantes :

- repère le groupe du nom sujet (GN sujet) et remplace-le par un pronom ;
- conjugue le verbe entre parenthèses au présent de l'indicatif et accorde-le.

Écris tes réponses dans un tableau semblable à celui-ci.

GN sujet	Pronom sujet	Verbe conjugué et accordé
▬▬	▬▬	▬▬

1 Les rayons ultraviolets (activer) les pigments bruns de la peau, appelés *mélanine*.

2 La pigmentation (varier) d'une personne à l'autre.

3 Les rayons du soleil (colorer) la peau en activant la formation de mélanine.

4 La pigmentation de certaines personnes (être) foncée.

5 Les pigments bruns appelés *mélanine* (donner) la couleur à la peau, à l'iris de l'œil et aux cheveux.

6 Le derme et l'épiderme (former) la peau.

b) Vérifie si tu as bien repéré les groupes du nom sujets dans les phrases 3 à 6 en les encadrant par l'expression *c'est… qui* ou *ce sont… qui*.

2. a) Relève les sept verbes conjugués dans les phrases suivantes et transcris-les dans la dernière colonne d'un tableau semblable à celui-ci.

Mot noyau du GN sujet	Pronom sujet	Personne et nombre (1re, 2e ou 3e pers. du s. ou du pl.)	Verbe

1 Chaque jour, l'indice UV mesure l'intensité des rayons ultraviolets du soleil.

2 Les rayons UVA et UVB accélèrent le vieillissement de la peau.

3 Les ondes des rayons UVA sont plus longues que celles des rayons UVB.

4 Le bronzage rapide et le plissement de la peau résultent des rayons UVA.

5 Les lampes des appareils de bronzage projettent surtout des rayons UVA mais aussi des rayons UVB.

6 La cause des coups de soleil se trouve dans les rayons UVB; ils constituent un danger de développer un cancer de la peau.

b) Justifie l'accord des sept verbes en inscrivant dans ton tableau:

- le noyau du groupe du nom sujet (ou les noyaux, s'il y a plus d'un groupe du nom sujet);
- un pronom sujet qui peut remplacer le ou les groupes du nom sujets si le sujet n'est pas un pronom;
- la personne et le nombre du pronom sujet.

c) Vérifie si tu as bien repéré les groupes du nom sujets dans les phrases 1, 4 et 6 en les encadrant par l'expression *c'est… qui* ou *ce sont… qui*.

Je vais plus loin

Cette activité t'aidera à vérifier l'accord des verbes avec leur sujet dans tes textes.

Lis le texte *La toilette et le maquillage* (recueil, p. 40-41).

a) À l'aide des renseignements fournis dans ce texte, complète les phrases ci-dessous. Dans tes phrases, tu dois employer les groupes du verbe présentés dans l'encadré et conjuguer les verbes au présent de l'indicatif.

> fabriquer des parfums – représenter plus qu'un accessoire de mode – se frictionner la peau à l'aide de serviettes sèches – inventer involontairement une nouvelle coiffure – changer fréquemment de vêtements – abîmer la peau – porter la perruque

1. Selon une croyance, l'eau ▒▒▒.

2. Pour combattre les odeurs corporelles désagréables, les gens ▒▒▒ et ▒▒▒.

3. Les domestiques, dans certaines grandes demeures anglaises, ▒▒▒.

4. Mlle de Fontanges, dont la magnifique coiffure ornée de plumes se défait un jour, ▒▒▒.

5. L'homme et la femme ▒▒▒.

6. Pour la reine Margot de France et pour Louis XIV, la perruque ▒▒▒.

b) Dans les phrases que tu as complétées :

- souligne les verbes conjugués et encadre les groupes du nom sujets ;

- relie par une flèche le noyau des groupes du nom sujets au verbe ;

- au-dessus des groupes du nom sujets, inscris un pronom qui peut les remplacer et vérifie l'accord des verbes.

Elles (3e pers. pl.)   V (3e pers. pl.)

Ex. : Certaines fleurs, comme la lavande, *possèdent* des vertus thérapeutiques.

DES PHRASES qui commandent

La phrase de type impératif

« **Lis la phrase suivante...** » S'il y a un endroit où on rencontre souvent des phrases impératives, c'est bien dans les consignes des manuels scolaires !

Je réfléchis

1. Lis les trois textes suivants. Ils sont inspirés d'une recette datant du XVIIe siècle.

Texte 1	Texte 2	Texte 3
Ayez un teint toujours frais !	**Pour avoir un teint toujours frais**	**Pour un teint toujours frais !**
D'abord, **trouvez** un chapon[1] bien gras. **Retirez** la peau, la tête, les pieds et les organes internes de la volaille, puis **découpez-la** en pièces. **Mettez** ensuite les morceaux de chair dans un alambic[2] avec un fromage de crème douce et six œufs frais. Enfin, **distillez** le tout au bain-marie[3]. **Appliquez** la solution obtenue matin et soir.	D'abord, **trouver** un chapon bien gras. **Retirer** la peau, la tête, les pieds et les organes internes de la volaille, puis <u>la</u> **découper** en pièces. **Mettre** ensuite les morceaux de chair dans un alambic avec un fromage de crème douce et six œufs frais. Enfin, **distiller** le tout au bain-marie. **Appliquer** la solution obtenue matin et soir.	D'abord, **il vous faut** un chapon bien gras. **Vous retirerez** la peau, la tête, les pieds et les organes internes de la volaille, puis **vous** <u>la</u> **découperez** en pièces. **Vous mettrez** ensuite les morceaux de chair dans un alambic avec un fromage de crème douce et six œufs frais. Enfin, **vous distillerez** le tout au bain-marie. **On recommande l'application** de la solution obtenue matin et soir.

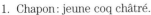

1. Chapon : jeune coq châtré.
2. Alambic : appareil servant à la distillation.
3. Bain-marie : bain d'eau bouillante dans lequel un récipient chauffe des substances.

a) L'intention de la personne qui a écrit ces trois textes est la même. Quelle est-elle? Choisis une réponse parmi les suivantes.

Ⓐ Obtenir des réponses de la part du lecteur ou de la lectrice.

Ⓑ Inciter le lecteur ou la lectrice à faire quelque chose en lui indiquant comment faire.

b) Quelle différence remarques-tu dans le ton des textes?

2. Observe la construction des phrases des trois textes du numéro 1 (p. 21).

a) Dans quels textes les phrases n'ont pas de groupe du nom sujet?

b) Dans quels textes les phrases ont un verbe conjugué?

c) Dans quel texte les phrases ont les deux caractéristiques précédentes?

3. Les phrases du texte 1 (p. 21) sont toutes des phrases impératives. En tenant compte des observations que tu as faites précédemment, explique à quoi peut servir ce type de phrases et ce qui caractérise leur construction.

4. a) À quel mot le pronom *la* souligné dans les textes fait-il référence?

b) Que remarques-tu au sujet de la place du pronom *la* par rapport au verbe à l'impératif?

Mise au point

La phrase de type impératif

La phrase de type impératif peut servir à donner un ordre, un conseil ou une recommandation, à adresser une demande ou à formuler un souhait.

Ex.: *Miroir, mon beau miroir, dis-moi qui est le plus beau...*
Veuillez poster vos conseils de beauté à l'adresse suivante.

D'autres sortes de phrases peuvent aussi jouer ces rôles.

Ex.: *Vous pouvez poster vos conseils de beauté à l'adresse suivante.* (phrase déclarative)

Poster ses conseils de beauté à l'adresse suivante. (phrase infinitive)

Les types de phrases, p. 465

1. **a)** Relève les phrases impératives dans le texte suivant.

> 1 Un beau visage est-il symétrique ? 2 Pour le savoir, fais ce test.
> 3 Dans un magazine, découpe la photo d'un homme ou d'une femme
> dont tu admires la beauté. 4 Plie la photo en deux dans le sens de la
> hauteur, juste au milieu du visage. 5 Pose une moitié du visage, puis
> l'autre, contre un miroir. 6 Le visage ainsi reconstruit devrait être
> parfaitement symétrique. 7 Qu'observes-tu ? 8 Le résultat est effrayant,
> non ? 9 Tu as maintenant la preuve que l'asymétrie fait la beauté d'un
> visage, même d'un visage qu'on dit parfait. 10 Fais le même exercice
> avec une photo de ton propre visage !

b) Comment as-tu reconnu les phrases impératives ?

2. **a)** Transforme les phrases déclaratives ci-dessous en phrases impératives.

1 Vous trouverez une source d'information fiable sur le tatouage.
2 Nous inviterons une infirmière pour lui poser nos questions.
3 Nous la renseignerons par écrit sur nos intentions.
4 Tu rédigeras une lettre d'invitation au nom de tous les élèves.
5 Nous la réviserons ensemble.
6 Tu la mettras au propre.
7 Vous transmettrez l'invitation à l'infirmière.
8 Vous dresserez une liste de questions à lui poser.
9 Nous désignerons un ou une élève pour l'accueillir dans notre classe.
10 Nous n'oublierons pas de prendre des notes pendant la rencontre.

b) Décris les modifications que tu as apportées à chacun des ensembles de
phrases déclaratives suivants.

- 1 , 2 , 4 , 7 , 8 , 9 et 10
- 3 , 5 et 6

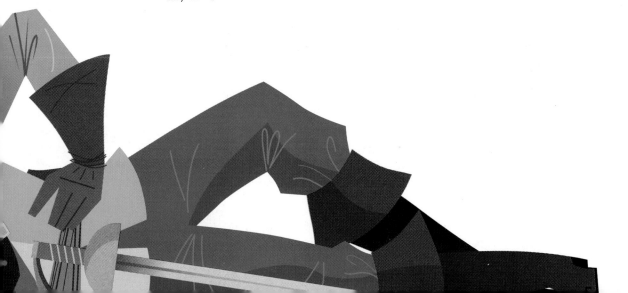

Je vais plus loin

Cette activité t'aidera à développer ton habileté à formuler des conseils ou des recommandations au moyen de phrases impératives.

a) Lis le texte suivant. Imagine qu'il a été écrit par une fille de ton âge à l'intention de ses pairs.

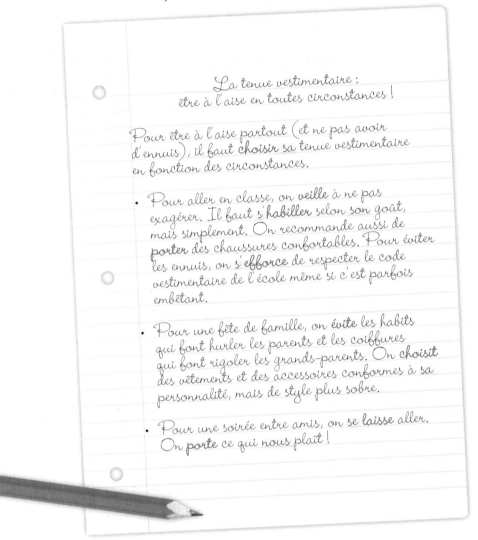

La tenue vestimentaire :
être à l'aise en toutes circonstances !

Pour être à l'aise partout (et ne pas avoir d'ennuis), il faut choisir sa tenue vestimentaire en fonction des circonstances.

• Pour aller en classe, on veille à ne pas exagérer. Il faut s'habiller selon son goût, mais simplement. On recommande aussi de porter des chaussures confortables. Pour éviter les ennuis, on s'efforce de respecter le code vestimentaire de l'école même si c'est parfois embêtant.

• Pour une fête de famille, on évite les habits qui font hurler les parents et les coiffures qui font rigoler les grands-parents. On choisit des vêtements et des accessoires conformes à sa personnalité, mais de style plus sobre.

• Pour une soirée entre amis, on se laisse aller. On porte ce qui nous plaît !

b) Récris le texte en respectant les consignes suivantes.

• Transforme toutes les phrases du texte (y compris le titre) en phrases impératives.

• Conjugue tous les verbes en couleur à la même personne de l'impératif.

• Change les déterminants et les pronoms surlignés selon la personne à laquelle tu conjugues les verbes à l'impératif.

• Vérifie l'emploi du trait d'union avec les pronoms placés après certains verbes à l'impératif.

Ex. : *Il faut s'habiller selon son goût.* ➤ *Habillez-vous selon votre goût.*

DES TEXTES en quête de lecteurs

Le traitement de l'information

Besoin d'information… Pour obtenir un litre de sirop d'érable, il faut faire bouillir plus de 40 litres d'eau d'érable! Pour l'information, c'est un peu la même chose : il faut recueillir une foule d'éléments d'information et en extraire l'essentiel!

1. Imagine que, dans le cadre d'un projet scolaire, tu dois concevoir une brochure sur l'asthme. En fouillant un peu, tu trouves les sources suivantes.

1 Brochure (2 pages)

2 Essai (236 pages)

3 Roman jeunesse (175 pages)

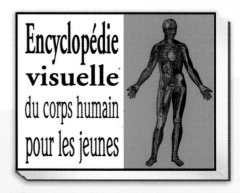

4 Encyclopédie (408 pages)

5 Cahier d'activités (8 pages)

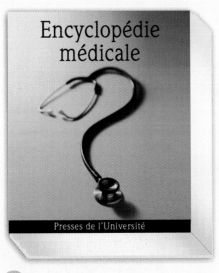

6 Encyclopédie (1894 pages)

7 Documentaire (48 minutes)

a) Selon toi, à quel public (jeunes, adultes, professionnels de la santé, etc.) chacune de ces sources s'adresse-t-elle? Quels indices te permettent de l'affirmer? Pour répondre à ces questions, remplis un tableau semblable à celui-ci.

Source	Destinataires	Indices
1	▬	▬
2	▬	▬

b) Lesquelles de ces sources aurais-tu tendance à consulter? Pourquoi?

2. Lis les paragraphes suivants. Détermine de laquelle des sept sources précédentes chacun des paragraphes semble avoir été tiré.

> A. Sachez que la crise d'asthme n'attaque pas que vos enfants. Vous aussi pouvez subitement réagir à un allergène qui ne vous avait jamais affecté auparavant.

B. Il était là, dans mon thorax, cet ennemi qui me pompe l'air. J'étais arrivé à m'en débarrasser avec mon médicament, mais il pouvait revenir n'importe quand. Maria, ma bonne amie, m'a dit que c'était grave, mais que je survivrais. J'ai regardé l'arbre de Noël en pleurant.

C. N'aie pas peur quand on place le tube devant ta bouche. Tu verras, tu te sentiras mieux. Trace une ligne bleue qui permettra à Poumoneau de retrouver sa pompe.

D. Au bout des bronchioles, on trouve les alvéoles, qui permettent l'échange gazeux. Le diagramme ci-dessus montre, en bleu, les vaisseaux sanguins qui libèrent le gaz carbonique vers l'alvéole.

E. En ce qui concerne la provocation à la méthacholine pour le sujet asthmatique, la chute qui en résulte est de 20 % du VEMX par rapport aux indicateurs de base, dont le taux est fixé à CP20.

3. Quels renseignements pourrais-tu tirer des extraits de ces ouvrages pour ton travail sur l'asthme (si tu avais réellement à le faire) ? Note les avantages et les désavantages de chacune des sources pour faire un tel travail scolaire. Écris tes réponses dans un tableau semblable à celui-ci.

Source	Renseignements à en tirer	Désavantages	Avantages
1	*Conseils pour les parents.*	*Un peu court. Information qui ne convient peut-être pas aux adolescents. Information dépassée (1953).*	*Information schématisée, présentée brièvement. Information vulgarisée. Écrit par un médecin.*
2			

4. Tu peux utiliser un surligneur pour faire ressortir les renseignements importants dans un texte, mais il existe d'autres façons de faire. En voici deux que tu pourras expérimenter.

a) **Le repérage des mots clés :** Cette technique consiste à relever les mots les plus importants dans un texte et à les noter sur une feuille. Pour mettre cette technique en pratique, relève trois à cinq mots clés dans chacune des phrases du texte ci-dessous.

L'exercice physique et l'asthme

L'exercice physique, surtout à l'air froid, peut entraîner une crise d'asthme. Lors d'un exercice d'intensité modérée et de courte durée, celle-ci se déclenche généralement après l'effort pour s'apaiser spontanément en 30 minutes. Parfois, elle peut survenir pendant un effort prolongé, obligeant le sportif à relâcher son rythme, voire à interrompre momentanément son activité. Dans ce dernier cas, la crise s'apaise alors en quelques minutes.

La pratique régulière d'un sport, sous surveillance médicale, peut permettre de repousser le moment de la crise, voire de l'éviter. La natation en atmosphère chaude et humide est le sport privilégié des asthmatiques. Certains sports d'endurance (course à pied, ski de fond) sont mal tolérés si une période d'échauffement n'est pas respectée. En revanche, les sports de combat, le cyclotourisme, les sports de ballon sont le plus souvent bien tolérés. Un traitement médicamenteux avant l'effort peut être préventif ; le cromoglycate de sodium est particulièrement efficace.

Petit Larousse de la médecine,
© Larousse-Bordas, 1997.

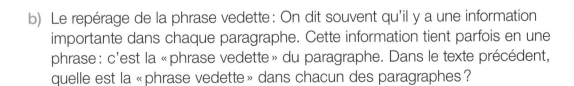

b) **Le repérage de la phrase vedette :** On dit souvent qu'il y a une information importante dans chaque paragraphe. Cette information tient parfois en une phrase : c'est la « phrase vedette » du paragraphe. Dans le texte précédent, quelle est la « phrase vedette » dans chacun des paragraphes ?

Des atouts pour plaire

5. À partir des activités de réflexion que tu viens de faire, indique si les énoncés suivants sont vrais ou faux. S'ils sont faux, dis pourquoi.

Énoncés	Vrai ou faux ?	Pourquoi ?
1. L'information importante est souvent présentée au début d'un paragraphe.	▬	▬
2. Généralement, on trouve une information importante dans chaque paragraphe.	▬	▬
3. Souvent, les renseignements très importants sont mis entre parenthèses.	▬	▬
4. Le gras et le soulignement peuvent aider à trouver l'information importante.	▬	▬
5. Pour savoir si un texte nous est adressé, il faut le lire intégralement.	▬	▬
6. Un simple coup d'œil sur la page couverture d'un livre permet de savoir à qui le livre s'adresse.	▬	▬
7. Tous les renseignements que l'on trouve dans Internet sont fiables et peuvent être utilisés dans le cadre d'un travail scolaire.	▬	▬

Mise au point

Le traitement de l'information

Nous vivons dans un monde où l'information est abondante. Il est parfois difficile de relever l'information utile et importante dans les sources à notre disposition. C'est pourquoi il faut adopter des stratégies de recherche de l'information. Ces stratégies permettent :

- de trouver l'information fiable plus rapidement ;
- de comparer diverses sources de renseignements ;
- de sélectionner l'information pertinente.

1. Lis les trois textes suivants.

Texte 1

Des modèles stéréotypés

Quand tu vas au cinéma, tu ne vois que des grosses baraques prêtes à tout casser ! Forcément, ça donne un peu de complexes par moments…

Dans les films, dans les magazines, les modèles d'hommes sont très stéréotypés : ils sont tous grands, forts, musclés. Peut-être as-tu peur de ne pas arriver à devenir un homme, comme si la machine risquait de s'arrêter en route ? Pourtant, à ton âge, il existe de grandes différences de taille, de carrure. À 12 ans, certains ont déjà l'air d'être adultes, d'autres ont encore leur taille d'enfant. Les différences sont bien plus grandes qu'à 20 ans, par exemple.

Jacques Arènes, Bernadette Costa-Prades et Emmanuelle Rigon, *Comment survivre quand on est un garçon*, © Albin Michel, 2003.

Texte 2

La croissance physique

L'accélération de la croissance physique survient environ deux ans avant l'atteinte de la maturité sexuelle, c'est-à-dire à la puberté. Des différences individuelles assez importantes peuvent être observées quant au moment d'apparition de l'accélération comme telle, de sorte que pour englober toutes les variations de l'ensemble d'une population, il semble qu'il faille considérer la période allant de 8 à 19 ans pour les filles et de 10 à 23 ans pour les garçons.

D'après Richard Cloutier, *Psychologie de l'adolescence*, 2e édition, © 1996, Montréal, Gaëtan Morin éditeur, membre de Chenelière Éducation, p. 38-39.

Texte 3

Pas de panique !

Ne vous inquiétez pas si votre fils de 13 ans ne semble pas encore être entré en période de croissance, tandis que votre fille de 11 ans et demi a déjà commencé à grandir de façon très nette. La poussée de croissance se produit dans la première partie de la puberté chez les filles, mais seulement dans la seconde partie chez les garçons alors que, pendant l'enfance, la croissance avait été sensiblement identique chez les deux sexes.

Larousse des parents, © Larousse, 1994.

a) Détermine à qui les textes de la page 31 s'adressent et relève les indices qui le révèlent.

b) Quel est le sujet de ces trois textes?

c) Formule un énoncé qui résume chacun des extraits.

2. Lis le texte *Le parfum*.

Le parfum

Le parfum est un peu comme le langage de la peau. De la même manière que vous avez votre personnalité, votre caractère, votre
5 peau a son odeur et son parfum.

Vous avez votre façon d'être, de vous habiller [...], vous avez aussi votre façon de vous parfumer.

Le parfum est une sorte de
10 ponctuation apportée à la toilette, à l'habillement, au corps. Ses effluves signalent votre passage ou votre présence. Il fait partie intégrante de votre charme [...].

15 Le parfum est l'indice d'une personne, ce qui, indépendamment de ses vêtements, demeure comme la parure de son corps. On aime et on s'attache au parfum de quelqu'un. [...]

20 Quand on choisit un parfum, il faut le faire avec soin. Un parfum qui vous va est un parfum qui vous ressemble. C'est aussi un parfum qui se fond harmonieusement dans
25 votre peau. Le mieux, pour choisir un parfum, est d'entrer dans une parfumerie et d'en essayer plusieurs [...]. Il faut toujours essayer un parfum sur votre peau à vous, le
30 même parfum ayant souvent des odeurs différentes selon les types de peaux sur lesquels il est mis. Un parfum s'essaie toujours à l'intérieur du poignet, là où la peau est la plus
35 fine, et il ne faut pas en essayer plus de trois à la suite, car après on n'arrive plus à bien sentir. L'idéal, quand on essaie un parfum, est de pouvoir attendre une heure avant de
40 se décider : la première note du parfum est alors partie et il reste ce qu'on appelle la «note de fond», celle qu'on garde sur sa peau toute la journée.

[...]

45 Important : Il ne faut jamais s'exposer au soleil avec du parfum sur la peau. Il pourrait en résulter des taches indélébiles.

Élizabeth Jacquet, *Les jeunes filles et leur corps*, © Éditions de la Martinière Jeunesse, 1998, p. 91-92. (Collection Hydrogène)

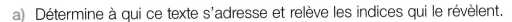

a) Détermine à qui ce texte s'adresse et relève les indices qui le révèlent.

b) Si tu devais résumer l'idée principale de ce texte à l'aide de trois mots clés, quels mots choisirais-tu?

c) Il n'y a aucun intertitre dans le texte *Le parfum*.

- Ajoutes-en un.

- Entre quelles lignes le placerais-tu?

d) Quelles autres idées pourraient être abordées dans ce texte? Trouves-en deux et formule-les de manière à en faire des intertitres accrocheurs.

3. Lis le texte *Je transpire!* (recueil, p. 28) et relève une information dont tu pourrais t'inspirer pour créer un encadré que tu pourrais ajouter au texte *Le parfum*.

4. a) Dans le dossier 1 du recueil de textes (p. 2-45), repère le plus rapidement possible des textes qui correspondent aux descriptions présentées dans le tableau ci-dessous. Note le numéro des pages où se trouvent les textes.

Textes à trouver	Pages
1. Cinq textes s'adressant spécifiquement aux jeunes.	
2. Deux textes s'adressant spécifiquement aux hommes (ou aux garçons).	
3. Deux textes s'adressant spécifiquement aux femmes (ou aux filles).	
4. Un texte écrit il y a 100 ans, et s'adressant aux hommes de l'époque.	
5. Un texte écrit il y a 50 ans, et s'adressant aux jeunes de l'époque.	

b) Compare tes choix avec ceux d'autres élèves et discute des indices qui t'ont permis de trouver les textes.

5. Lis le texte *Sapo* (recueil, p. 32).

a) Relève les trois mots les plus importants dans chaque phrase.

b) Relève la phrase qui te semble la plus importante dans chacun des paragraphes.

Je vais plus loin

1. a) Survole le texte *Ne vous arrachez pas les cheveux!* (recueil, p. 7-9). Observe le titre, les intertitres, les illustrations et la référence bibliographique. De quoi sera-t-il question dans ce texte?

   b) Quels moyens graphiques l'auteure utilise-t-elle pour attirer l'attention sur l'information importante dans ce texte?

   c) À qui ce texte s'adresse-t-il? Justifie ta réponse à l'aide d'indices relevés dans le texte.

2. Lis maintenant le texte en entier.

   a) Quelle est l'idée principale dans ce texte? Justifie ta réponse.

   b) Quelle phrase, tirée du texte, résumerait le mieux le paragraphe «Jamais satisfaite!»?

   c) Quelles autres sources pourrais-tu consulter pour trouver d'autres renseignements sur ce sujet?

   d) Quelles autres idées pourraient être abordées dans ce texte? Trouves-en deux et formule-les de manière à en faire des intertitres accrocheurs.

   e) À l'aide du paragraphe «Les secrets d'un shampoing réussi», écris des conseils sur une fiche en suivant le modèle ci-dessous.

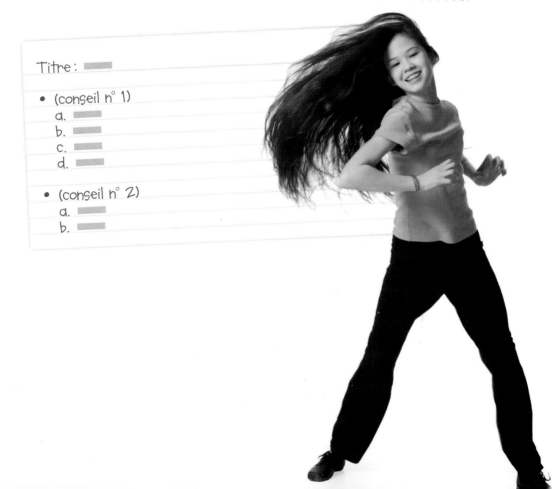

DES TEXTES en devenir

L'exploitation de l'information

Le commerce des mots... On les échange, on les troque contre des mots plus personnels ou plus concis, on les répète, on s'en inspire, mais comme le dit le dicton, « il faut rendre à César ce qui appartient à César ».

Je réfléchis

1. a) Imagine que tu dois donner de l'information à des élèves du primaire au sujet des effets de leur alimentation sur leur santé. Chercherais-tu l'information dans les mêmes ouvrages que si tu devais informer des personnes âgées ? Pourquoi ?

   b) As-tu tendance à noter les références exactes des documents que tu consultes quand tu fais une recherche ? Si tu le fais, à quoi cela te sert-il ? Si tu ne le fais pas, quels problèmes peuvent survenir ?

2. Explique comment tu procèdes pour prendre des notes lorsque tu consultes des livres ou des sites Internet. Compare ta façon de faire avec celle de tes camarades.

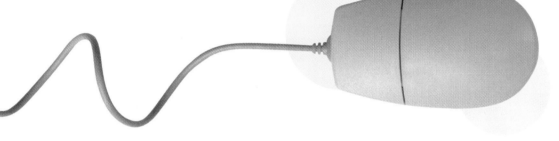

3. Lorsque tu construis un texte en te référant à des sources que tu as consultées, t'arrive-t-il parfois de copier des phrases ou des parties de textes ? Crois-tu avoir le droit de procéder ainsi ? Pourquoi ?

Mise au point

L'exploitation de l'information

Plusieurs étapes sont nécessaires pour exploiter efficacement l'information qui est à ta disposition :

- sélectionner et identifier les sources pertinentes, selon ton intention et selon le destinataire ;
- prendre des notes ;
- réorganiser l'information en tenant compte de ton plan.

Les références bibliographiques, p. 454
La prise de notes, p. 455

Je m'entraîne

Imagine que trois élèves ont décidé d'unir leurs efforts pour informer le personnel de la cantine scolaire de leurs goûts et, surtout, de leurs besoins alimentaires. Le menu offert n'est ni varié, ni équilibré, ni appétissant. À la page suivante, tu trouveras le résultat d'une recherche dans Internet que ces élèves auraient pu faire.

a) Parmi les notes de ces trois élèves, lesquelles choisirais-tu pour donner des conseils au personnel de la cantine scolaire? Justifie ta réponse.

b) Pourquoi ne serait-il pas suffisant d'envoyer ces notes telles quelles, sans écrire un texte?

Je vais plus loin

Préparation au projet

Écris deux courts paragraphes pour demander à la personne responsable de la cantine de modifier le menu. Justifie ta demande en informant cette personne des besoins alimentaires des jeunes de ton âge. Sers-toi des notes à la page suivante. Choisis celles qui te semblent les plus pertinentes.

En planifiant ton texte, pose-toi les questions suivantes:

- Vais-je parler en mon nom personnel ou au nom de mes camarades de classe?

- Vais-je m'adresser au destinataire à la deuxième personne du singulier (*tu*) ou du pluriel (*vous*)?

- Parmi les renseignements fournis dans les notes, lesquels vais-je retenir?

- Comment vais-je organiser l'information retenue? Dans quel ordre vais-je la présenter? Combien de paragraphes y aura-t-il? Quels aspects seront touchés dans chaque paragraphe?

- Comment vais-je citer mes sources?

Notes prises au moment
de la recherche d'information

Nadia

« Guide alimentaire canadien »

Chaque jour

prod. céréal.	fruits et lég.	prod. lait.	viandes et substituts
portions : 5-12	5-10	2-4	2-3

Ados : repas équilibrés : 4 groupes 3 repas
collations saines : ex. : fruits, noix, crudités, from.

Période croissance + act. pour maigrir = danger

ralentissement formation OS

Sportifs : EAU avant + pendant + après exercices
végétariens : PROTÉINES VÉGÉT. :
- légumineuses (pois chiches, haricots rouges...)
- noix
- tofu
- beurre d'arachides ou d'amandes
- hoummos
- lait de soya

Aïcha

« La santé vient en mangeant : le guide alim.
pour tous »

Fruits et lég. : 5 p. jr. et +
frais, cuits, crus, variés
+++vitamines

contre
diabète
cancer

Pain et féculents : à ch. repas
+++protéines végétales

Prod. laitiers : 3 p. jr.
+++calcium

Viandes - volailles - poissons - œufs
↓ ↓ ↓ ↓
maigre - pas la peau - 2 X sem. - frais !

Matières grasses : limiter (fav. végét.)

Aliments + boissons sucrées : modération

EAU : beaucoup

Jus de vrais fruits : non à + sucre

Sel : limiter

Ch. jr. : faire ACTIVITÉ PHYS.
(30 min) marche rapide par ex.

Claude

– pas trop de cochonneries – beaucoup fruits + légumes
– beaucoup de patates, de viande et des oeufs

✳ FAIRE BEAUCOUP BEAUCOUP D'EXERCICE, LEVER DES POIS
(si on n'a pas de poids ! ! !) ‿‿

> page personnelle de J. Bonouri : Manger pour être en santé

DES VOIX qui portent

L'utilisation de la bonne formulation

Il n'y a pas de formule gagnante... Quand on veut s'exprimer convenablement, il s'agit plutôt de recourir en tout temps à la formule appropriée.

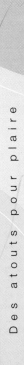

Je réfléchis

Quels jeux-questionnaires attirent ton attention ? Selon toi, comment ce type de jeu se déroule-t-il habituellement ? Comment l'animateur ou l'animatrice s'adresse-t-il aux participants ? Quelles formules cette personne utilise-t-elle pour prendre la parole ? Pour répondre à ces questions, rappelle-toi un jeu-questionnaire que tu as déjà vu et note tes observations.

Mise au point

Les formules appropriées pour prendre la parole

As-tu déjà remarqué que, dans toute situation de communication, on a recours à des formules toutes faites : formules de salutation, de présentation, de questionnement, de remerciement, etc. ? Toutefois, ces formules changent selon le type de situation :

- dans une conversation courante, on insiste davantage sur la salutation ou le questionnement ;

  Ex. : *Salut, ça va ?*

- dans une situation plus formelle, comme l'entrevue ou le jeu-questionnaire télévisé, on se concentre sur la présentation, les formules de politesse ou encore le remerciement.

  Ex. : *Bienvenue mesdames et messieurs ! Cette semaine, on accueille...*

◉ La prise de parole dans différentes situations de communication, p. 457
◉ Les types de phrases, p. 465

Je m'entraîne

a) Regarde le jeu-questionnaire proposé et remplis le tableau qu'on te remettra. D'abord, observe attentivement l'animateur et l'animatrice (comportement, formules utilisées pour prendre la parole). Ensuite, observe les participants.

b) En équipe, comparez vos notes. Relevez au moins trois comportements à adopter et cinq formules à utiliser pour prendre la parole dans une situation de communication formelle. Prenez note de ces comportements et de ces formules afin de les mettre en pratique lors d'une communication orale.

Je vais plus loin

Voici un jeu qui te permettra de mettre en application tes connaissances sur les formules appropriées pour prendre la parole en abordant un sujet en lien avec la beauté.

1. Prépare-toi à participer à *Au beau fixe*, un jeu-questionnaire sur la beauté.

a) En groupe, choisissez quatre thèmes sur lesquels portera le jeu.

b) En équipe, formulez cinq questions sur le thème que vous aurez choisi. Consultez le recueil de textes, des ouvrages documentaires ou des sites Internet.

c) Vérifiez la construction de vos questions.

d) Rédigez les questions sur des fiches et proposez un choix de trois réponses pour chaque question, en indiquant la bonne réponse à l'aide d'un astérisque.

e) Préparez-vous à participer au jeu en vous assignant l'un des rôles suivants : un animateur ou une animatrice et trois participants au jeu-questionnaire.

2. Place au jeu !

a) Joue ton rôle en respectant les règles que tu as observées dans d'autres jeux-questionnaires.

b) Assure-toi d'employer les formules qui conviennent à la situation de communication.

3. Après chaque séance de jeu, évaluez en équipe la performance de chacun et de chacune à l'aide de la grille d'observation.

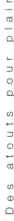

Des atouts pour plaire

41

DES VERBES qui commandent

L'impératif présent

Il a de qui tenir... Le mot *impératif* vient du latin *imperare*, qui signifie « commander ».

Je réfléchis

1. Compare la forme des verbes présentés dans le tableau.

Indicatif présent	Impératif présent
Verbes en -er	**Verbes en -er**
• Tu complètes ce dessin. Nous complétons ce dessin. Vous complétez ce dessin.	• Complète ce dessin. Complétons ce dessin. Complétez ce dessin.
• Tu t'informes. Nous nous informons. Vous vous informez.	• Informe-toi. Informons-nous. Informez-vous.
Autres verbes (en -ir, en -re, en -oir)	**Autres verbes (en -ir, en -re, en -oir)**
• Tu enrichis ton texte. Nous enrichissons notre texte. Vous enrichissez votre texte.	• Enrichis ton texte. Enrichissons notre texte. Enrichissez votre texte.
• Tu ne perds pas de temps ! Nous ne perdons pas de temps ! Vous ne perdez pas de temps !	• Ne perds pas de temps ! Ne perdons pas de temps ! Ne perdez pas de temps !
• Tu t'assois. Nous nous assoyons. Vous vous assoyez.	• Assois-toi. Assoyons-nous. Assoyez-vous.

Quelles sont les ressemblances et les différences entre les verbes à l'indicatif et les verbes à l'impératif ?

2. Observe l'erreur qui a été corrigée dans la phrase ci-dessous.

> Réfléchis à tout cela, renseignes-toi bien et réponds-moi.

Selon toi, pourquoi cette erreur est-elle courante ?

3. Compare les trois modes de conjugaison du verbe *avoir*.

Indicatif présent	Subjonctif présent	Impératif présent
Tu n'as pas peur. Nous n'avons pas peur. Vous n'avez pas peur.	Il ne faut pas que tu aies peur. Il ne faut pas que nous ayons peur. Il ne faut pas que vous ayez peur.	N'aie pas peur. N'ayons pas peur. N'ayez pas peur.

Quelles ressemblances remarques-tu ?

4. Voici cinq verbes usuels conjugués à l'impératif présent.

Aller	Être	Faire	Dire	Savoir
Va Allons Allez	Sois Soyons Soyez	Fais Faisons Faites	Dis Disons Dites	Sache Sachons Sachez

Dans un guide de conjugaison, trouve les mêmes verbes conjugués à l'indicatif présent et au subjonctif présent. Lesquels se ressemblent à l'impératif et au subjonctif ?

Mise au point

L'impératif présent

L'impératif peut t'être utile pour formuler des ordres, des conseils, des recommandations.

Un verbe à l'impératif ne se conjugue qu'à trois personnes.

Ex. : *Lis / Lisons / Lisez la phrase suivante.*

Attention !

À la deuxième personne du singulier de l'impératif présent, les verbes en *-er* se terminent par « e », sauf quelques exceptions.

Les règles de formation des temps simples, p. 494

Je m'entraîne

Conjugue les verbes entre parenthèses à la deuxième personne du singulier de l'impératif présent. Attention à la terminaison des verbes en *-er*!

Pour garder la forme...

- (1 Manger) sainement et (2 prendre) trois repas par jour. (3 Varier) tes apports alimentaires : seule la variété permet d'absorber tous les éléments nutritifs dont tu as besoin.

- (4 Boire) au moins un litre de liquide par jour. (5 Éviter) cependant les boissons sucrées.

- (6 Veiller) à la qualité de ton sommeil ! Pour bien dormir, (7 consommer) le moins d'excitants possible (chocolat, boissons sucrées, café, etc.). (8 Maintenir) une certaine régularité dans tes heures de sommeil.

- (9 Détendre)-toi et (10 faire) de l'exercice régulièrement.

Je vais plus loin

Cette activité t'aidera à développer ton habileté à écrire correctement des verbes à l'impératif présent dans tes textes.

a) Lis la lettre que Paulo a écrite à son ami (p. 45). Porte une attention particulière aux verbes.

b) Relève ensuite les erreurs qui se sont glissées dans la lettre en procédant de la façon suivante :

- repère les six verbes à l'impératif et classe-les dans un tableau semblable à celui-ci ;

Verbes en *-er*	Autres verbes	Verbes particuliers (*avoir*, *être*, *savoir* et *vouloir*)

- corrige les trois verbes mal orthographiés en te basant sur ton classement.

Cher Martin,

Je sais que ta petite taille te donne des complexes. Souvent, tu te désoles de ta croissance tardive. Toi qui croyais qu'à l'adolescence tu te mettrais à grandir vite ! Moi, de mon côté, je m'affole parce qu'en classe j'ai parfois l'impression d'être un géant au pays des nains ! Mais saches que le rythme de croissance est très variable. C'est ce que j'ai appris en lisant sur le sujet. Tu peux fort bien rattraper tout le monde l'année prochaine. (Rappelle-toi, c'est ce qui est arrivé à ton frère.) Alors cesse de te tourmenter ! Et surtout, ne m'envies pas ! Je te l'interdis ! Être très grand à douze ans ne comporte pas que des avantages ! Surtout si tu es maigrichon comme moi !

Tu sais, nous ne sommes pas les seuls à avoir des complexes. Fais un petit test auprès des copains. Tu verras, certains se jugent sévèrement. Qu'on soit grand ou petit, l'important est de savoir se mettre en valeur. Et toi, tu y arrives très bien ! Croie-moi !

Paulo

L'année prochaine,
tu seras grand comme ça !

DES VERBES à leur plus simple expression

L'infinitif présent

Quand on les cherche, on les trouve! C'est au mode infinitif qu'on cherche les verbes dans les dictionnaires et les guides de conjugaison... et qu'on les trouve!

Je réfléchis

1. a) Les verbes en couleur dans les deux textes suivants sont à l'infinitif. Compare-les avec les verbes en gras.

Texte 1	Texte 2
Ne pas négliger son alimentation	Ne **négligez** pas votre alimentation!
Surveiller son alimentation est important si on **veut** garder la forme. Pour commencer, on **peut** suivre les trois recommandations ci-dessous.	Surveiller son alimentation est important si on **veut** garder la forme. Pour commencer, vous **pouvez** suivre les trois recommandations ci-dessous.
1) Boire au moins un litre de liquide par jour.	1) **Buvez** au moins un litre de liquide par jour.
2) Prendre trois repas par jour.	2) **Prenez** trois repas par jour.
3) Varier ses apports alimentaires.	3) **Variez** vos apports alimentaires.

Quelle différence y a-t-il entre les verbes à l'infinitif et les autres verbes?

b) Compare le titre des deux textes. Où les mots *ne* et *pas* se placent-ils quand le verbe est à l'infinitif?

2. Explique l'erreur qui a été corrigée dans les phrases ci-dessous.

Manger trois repas par jour, c'est bien.
Les prendre~~s~~ en compagnie de personnes qu'on apprécie, c'est mieux.

3. a) Lequel des énoncés suivants est faux ?

Ⓐ L'infinitif peut être employé pour donner un ordre ou un conseil, comme l'impératif.

Ⓑ L'infinitif peut être le noyau du groupe sujet.

Ⓒ Un verbe qui suit une préposition (ex. : *à*, *de*, *en*, *pour*, *sans*) s'emploie généralement à l'infinitif.

Ⓓ Généralement, le verbe s'emploie à l'infinitif après *avoir* ou *être*.

Ⓔ Généralement, le verbe s'emploie à l'infinitif après un verbe autre que *avoir* ou *être*.

b) Dans les deux textes du numéro 1, cherche un exemple pour illustrer chacun de ces énoncés, sauf celui qui est faux.

4. Observe les erreurs qui ont été corrigées dans les phrases ci-dessous.

Vous avez essay**é**~~er~~ de vous corrig**er**~~ez~~ de certaines mauvaises

habitudes alimentaires. Y êtes-vous arriv**és**~~er~~ ?

Comment fais-tu pour éviter de telles erreurs dans tes textes ?

Mise au point

L'infinitif présent

L'infinitif est un mode auquel on recourt fréquemment. Il est parfois utilisé à la place de l'impératif pour formuler des ordres, des conseils ou des recommandations. Il donne cependant un ton plus impersonnel au texte.

Attention !

- L'infinitif ne peut se terminer que par *-er, -ir, -re* ou *-oir*.

- L'infinitif en *-er* est souvent confondu avec d'autres formes du verbe qui se terminent aussi par le son « é ».

◎ Les verbes conjugués et non conjugués, p. 492

1. a) Relève les quatorze verbes à l'infinitif dans le texte suivant.

Le sommeil

Avoir une bonne qualité de sommeil contribue au bien-être général. Le nombre d'heures de sommeil nécessaire au bien-être varie d'une personne à l'autre. De plus, certaines personnes préfèrent se coucher tard et se rattraper en grasses matinées le week-end ; d'autres ont besoin de se coucher tôt pour garder la forme. À chacun son rythme ! Quoi qu'il en soit, il faut savoir combattre la fatigue quand elle se manifeste. Voici quelques conseils pour améliorer la qualité du sommeil. Faire de l'exercice durant la journée. Ne pas manger après 20 h 30. Prendre un bain ou une douche chaude pour se préparer au sommeil. Aérer sa chambre avant le coucher. Se coucher dès les premiers signes de sommeil (bâillements, fatigue, paupières lourdes).

b) Associe chacun des verbes que tu as relevés à l'un des énoncés ci-dessous.

   Ⓐ L'infinitif est employé après une préposition.

   Ⓑ L'infinitif est employé après un verbe autre que *avoir* ou *être*.

   Ⓒ L'infinitif est le noyau du groupe du nom sujet.

   Ⓓ L'infinitif est employé pour donner un ordre ou un conseil.

c) Construis quatre phrases illustrant chacune l'un des énoncés ci-dessus.

2. a) Observe les verbes entre parenthèses dans l'encadré de la page suivante. Choisis celui qui convient dans chaque cas.

Faites-vous partie de ces gens qui, au moment du coucher, n'en finissent pas de (1 rechercher – recherché – recherchez) le sommeil? Dans votre lit, vous (2 ruminer – ruminé – ruminez) les problèmes de la journée pendant que les heures s'égrènent. Ou êtes-vous plutôt du genre à vous (3 réveiller – réveillé – réveillez) vers 2 ou 3 h du matin et à vous (4 tracasser – tracassé – tracassez) au sujet du lendemain. Après vous être (5 tourner et retourner – tourné et retourné – tournez et retournez) nerveusement dans votre lit, vous (6 retrouver – retrouvé – retrouvez) enfin le sommeil... peu avant que le réveil sonne.

Si vous vous reconnaissez dans les lignes qui précèdent, vous souffrez d'insomnie.

Adapté de Marie-José Auderset et Jean-Blaise Held, *Bien dans sa tête, bien dans son corps*,
© De La Martinière Jeunesse, 1995, p. 18. (Collection Hydrogène)

b) Associe chacun des verbes que tu as choisis à l'un des énoncés ci-dessous.

Ⓐ Le verbe est à l'infinitif parce qu'il est employé après une préposition ou un verbe autre que *avoir* ou *être*.

Ⓑ Le verbe est un participe passé parce qu'il est employé avec *avoir* ou *être*.

Ⓒ Le verbe est conjugué à la deuxième personne du pluriel.

Je vais plus loin

Préparation au **projet** Cette activité te permettra de t'exercer à formuler des consignes en recourant à l'infinitif.

a) Reformule les consignes du texte suivant en mettant les verbes en couleur à l'infinitif.

Les bonnes manières à table

1. *Vous ne prendrez pas place à table avant la personne qui a préparé le repas.*
2. *Vous mangerez la bouche fermée.*
3. *Vous ne parlerez pas la bouche pleine.*
4. *Vous garderez les mains sur la table (pas les coudes).*

b) Ajoute cinq autres consignes en utilisant des verbes à l'infinitif.

c) Reformule les consignes en les commençant par *vous devez, vous pouvez...*

Ex.: 1. *Vous ne devez pas **prendre** place à table avant la personne qui a préparé le repas.*

DES MOTS qui riment

Le son « é » à la fin des mots

À quoi ça rime ? Comment écrire un mot qui se termine par le son « é » ? Tout dépend…

Je réfléchis

Compare l'orthographe des mots de même famille dans le tableau suivant.

Verbes à l'infinitif	Noms		Adjectifs
Résumer	un résumé	—	une histoire résumée
Geler	—	une gelée de fraise	une tarte surgelée
Lancer	un lancer	une lancée	une balle lancée
Blesser	un blessé	une blessée	un animal blessé
Verser	un renversé aux fruits	une traversée	un gâteau renversé
Associer	un associé	une associée	un collègue associé
Passer	le passé un passager	—	une mode dépassée un malaise passager
Tirer	un tiré à part	—	des traits tirés
Parler	un parler régional	—	une langue parlée

a) Que remarques-tu ?

b) Résume tes observations par écrit, puis compare-les avec celles d'un ou d'une camarade. Formulez des hypothèses à partir de vos observations puis présentez-les à la classe.

c) Observez les mots suivants et voyez si toutes vos hypothèses sont vraies.

une amitié   une clé   une fierté   une beauté   un trophée   un musée

Mise au point

Le son « é » à la fin des mots

Lorsque tu écris un mot qui se termine par le son « é », tu peux émettre une hypothèse sur son orthographe selon la classe grammaticale à laquelle il appartient.

Classes grammaticales	Terminaisons	Exemples
Verbe à l'infinitif	*-er*	*passer*
Verbe conjugué	*-ai* ou *-ez*	*je passerai*
Participe passé	*-é (-ée, -és, -ées)*	*passé*
Adjectif	*-é (-ée, -és, -ées)* ou *-er* si c'est un adjectif qui se termine par *-ère* au féminin	*un malaise passager*
Nom	*-é, -ée* ou *-er* (Consulte un dictionnaire si tu as un doute sur la finale.)	*le passé*

Je m'entraîne

a) Construis un tableau semblable à celui présenté à la page précédente et trouve des mots de la même famille que les verbes suivants : *coucher*, *douer*, *entrer*, *lever*, *toucher*.

b) Vérifie dans un dictionnaire l'orthographe des mots que tu as trouvés et corrige-les s'il y a lieu.

Je vais plus loin

Préparation au projet

Choisis un texte que tu as produit dans ce dossier ou le texte de ton dépliant et surligne tous les mots qui se terminent par le son « é ». Vérifie l'orthographe de ces mots et précise la classe grammaticale à laquelle chacun appartient.

Je suis Alexandra David-Néel. Je suis française, mais je suis avant tout une citoyenne du monde ! J'ai énormément voyagé. En bateau, à cheval et à pied, surtout. Je suis allée en Angleterre, en Inde, en Grèce, au Japon, en Corée, en Chine… Il faudrait que je consulte mon journal personnel pour être certaine de ne rien oublier de mes aventures. Un jour, j'ai dit à mon mari que je partais quelques mois. J'avais 43 ans. Finalement, je suis revenue quatorze ans plus tard !

Mon fait d'armes : en 1924, j'ai été la première femme européenne à entrer dans l'enceinte sacrée de Lhassa, la capitale interdite du Tibet. La première, première, première ! J'ai dû me déguiser en mendiante tibétaine pour y parvenir. J'ai porté des haillons et je me suis enduit le visage de boue et de suie, empruntant des chemins jusque-là inexplorés. Il m'aura fallu huit longs mois pour relever ce défi extraordinaire !

À 101 ans, j'ai quitté définitivement le monde. Je venais tout juste de renouveler mon passeport.

Alexandra David-Néel
(1868-1969)

Exploratrice et écrivaine, Alexandra David-Néel fut une voyageuse intrépide, animée toute sa vie d'une soif de connaissance et d'une volonté hors du commun. On peut lire ses récits de voyage dans la dizaine d'ouvrages qu'elle a publiés. Elle a également étudié les langues et les philosophies orientales.

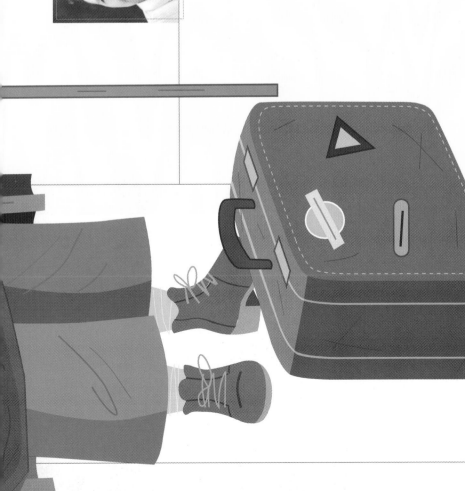

Un projet
Rédiger et présenter un récit de voyage et écouter celui des autres.

Zoom culturel

Des connaissances et des compétences pour réaliser le projet

Lexique
L'expression du lieu

Grammaire
Le groupe du nom
Les accords dans le groupe du nom
L'emploi de la virgule à l'intérieur de la phrase
La subordonnée complément de phrase

Lecture
Le schéma du texte narratif, les marques de lieu et de temps

Écriture
L'ordre de présentation des événements dans un récit

Communication orale
L'écoute active d'un récit d'aventures

Conjugaison
Le présent de l'indicatif : emploi et terminaisons régulières

Orthographe lexicale
L'emploi de la majuscule dans les noms propres de lieux

53   Le vent dans les voiles

L'Aventure avec un grand A

Tu rêves de voyages et de grands espaces? Tu as le goût de découvrir le monde, de te dépasser? Voici un projet qui te permettra d'imaginer une expédition ou un voyage que tu aimerais faire un jour. Prépare-toi! Qui sait où peuvent nous mener les rêves les plus fous…

Tout d'abord, tu devras choisir un endroit que tu aimerais visiter. Tu devras trouver de l'information sur les particularités de cet endroit et sur les activités que tu peux y faire. Ensuite, tu devras transmettre l'information dans un récit de voyage captivant et bien documenté que tu présenteras à tes camarades de classe.

Un exemple

Pour t'aider à réaliser ton projet, lis attentivement le récit de voyage de Frédéric Dion (p. 55-58). Il te raconte l'expérience d'un jeune adulte qui se mesure à la nature et qui va au bout de son rêve!

1re partie :
la situation initiale
d'équilibre

3 500 kilomètres...
en kayak !

C'est ça la tranquillité !

11 mai 2002

C'est le jour 1 d'une grande aventure : aujourd'hui, je pars. Dans le but ultime de gravir le mont d'Iberville qui est la plus haute montagne au Québec, j'ai l'intention de faire en solitaire la traversée du Québec en kayak, de la Mauricie à la baie d'Ungava.

Depuis toujours, tout ce qui se rapporte à l'aventure m'intéresse. J'ai beaucoup lu sur le sujet : des livres d'information, des articles de revues, des textes d'explorateurs célèbres. Lorsque j'étais adolescent, je pratiquais déjà des sports de plein air. Quelques années plus tard, je me suis passionné pour le kayak.

Je pense que je suis bien préparé. Bien sûr, j'apporte tout le matériel de camping et tout ce qui peut être utile à la navigation en kayak. Comme je pars seul, certains accessoires sont essentiels : une trousse de premiers soins, un couteau, un téléphone satellite. Toutefois, pour vivre une telle expérience, l'équipement le plus important est la condition physique et mentale. Je ferai face à la nature et... à la solitude.

À cet effet, j'emporte avec moi et en moi ce que j'appelle « ma boîte à outils ». Je garde au fond de ma mémoire des trucs que je dois me rappeler dès qu'une situation

Subordonnée
complément
de phrase

Indication de lieu

Une baleine à l'horizon

désagréable (portage, moustiques, découragement) devient franchement pénible. Par exemple, je dois toujours penser à combler mes besoins physiologiques (boire, manger, dormir). Ça occupe l'esprit et ça évite de se laisser aller au découragement.

Je dois m'attendre à des températures oscillant entre −5 °C et 35 °C. Il faut donc choisir des vêtements en conséquence. En ce qui concerne la nourriture, je prévois des provisions pour un mois ; pour le reste, je pourrai chasser et pêcher.

Je crois pouvoir partir sans crainte. Cette aventure représente un défi de taille et je me sens prêt à surmonter des obstacles. La seule idée de découvrir

de nouveaux espaces me donne du courage pour me lancer dans cette expédition exaltante.

23 mai 2002

Aujourd'hui, je profite de la force des vents. Je suis devant Rimouski. Je rencontre régulièrement des baleines. Un béluga a même touché mon kayak par deux fois.

13 juin 2002

La navigation est rendue difficile à cause des rapides, des chutes et des courants contraires. La température est glaciale. Ce matin, je dois attendre quelques heures pour que la glace fonde avant de prendre le large. Enfin, j'arrive à Trois-Rivières. Cette ville historique de la région de la Mauricie a su, tout comme moi, profiter des

2ᵉ partie :
l'élément perturbateur

3ᵉ partie :
le déroulement
d'actions ou
d'évènements

cours d'eau qui l'entourent : longtemps, la tumultueuse rivière Saint-Maurice a été le moyen de transport le plus facile pour acheminer le bois des entreprises forestières et des scieries de la région.

4 juillet 2002

Zut, zut et re-zut ! Mon kayak est percé ! La coque s'est abîmée sur des rochers. Il faut que je fasse du feu pour souder la fissure… mais il pleut ! Si je ne répare pas la coque, tout est foutu. Qu'est-ce que je fais ? Je demande qu'on vienne me chercher et mon aventure s'arrête là ? C'est trop absurde ! Je dois trouver un moyen… Et cette pluie qui n'en finit plus !

Une seule solution : faire la soudure avec… mon briquet ! Ouf ! Ça y est, j'ai réussi…

Pourtant, je ne suis pas au bout de mes peines : tout mon matériel est mouillé. Je ne parle pas seulement de la tente : tous mes vêtements, tous mes livres, toute ma nourriture… Tout, mais vraiment tout, est détrempé ! Et la pluie qui continue… Pas moyen de faire sécher quoi que ce soit. Mon moral en prend un coup. C'est le moment d'utiliser ma « boîte à outils »…

6 juillet 2002

La pluie cesse enfin. Je vais pouvoir faire sécher mes vêtements !
Aujourd'hui, la solitude me pèse un peu.

25 juillet 2002

J'atteins enfin le 56ᵉ parallèle. Depuis le 55ᵉ parallèle, je suis au Nunavik,

Comme chez soi…

Fjord du Labrador

Description
des lieux

4ᵉ partie :
le dénouement

dans la région arctique du Québec. L'immense territoire parsemé de lacs et de montagnes est délimité à l'ouest par la baie d'Hudson, au nord par le détroit d'Hudson et à l'est par la baie d'Ungava et le Labrador. La végétation de toundra voisine la forêt boréale. Je sais que certains peuples autochtones (les Inuits, les Cris et les Naskapis) vivent sur ces terres, mais je ne croise personne.

Au fil de ma route, je rencontre de nombreux animaux : un aigle royal, des caribous, des castors, des huards, des lemmings. La nature m'offre un spectacle grandiose. Je n'ai jamais rien vu d'aussi beau !

2 août 2002

En matinée, un louveteau s'approche de mon campement, assez près pour que je puisse le toucher ! Je filme la scène pendant qu'au loin son père m'observe du coin de l'œil. Il est surprenant qu'il n'intervienne pas. J'ai dû perdre mon odeur humaine. Je trouve renversant de constater à quel point je fais partie de cette nature.

8 août 2002

Hourra ! Ça y est ! J'y suis arrivé ! Je suis présentement au sommet du mont d'Iberville, but de mon expédition. Je suis extrêmement heureux.

Ce que je retiens de cette expérience, c'est que, quand on le veut vraiment, on peut réussir. Bien des gens ont tenté de me décourager. On me répétait que ça n'avait aucun sens, mais pour moi, c'était un rêve. Et je l'ai réalisé...

5ᵉ partie :
la situation finale
d'équilibre

La démarche

1. Quelle destination choisiras-tu?

- Choisis une destination en consultant des textes dans le recueil, d'autres textes, des films documentaires ou des sites Internet.

2. Quelles sources d'information consulteras-tu?

- Trouve de l'information sur ta destination.
- Note les sources et les renseignements pertinents sur des fiches documentaires (destination, particularités géographiques, climat, végétation, activités, équipement nécessaire, etc.).

3. Quels aspects retiendras-tu dans ton récit de voyage?

- Choisis les idées principales que tu veux développer dans ton récit de voyage.
- Spécifie l'élément perturbateur (qui pourra déclencher une suite d'évènements).
- Détermine comment se réglera l'élément perturbateur.

4. Quelle information sélectionneras-tu?

- Intègre judicieusement l'information que tu as notée aux aspects du récit que tu veux développer (par exemple, présentation de la destination dans l'introduction, description des particularités géographiques et des réalités physiques dans le développement).

5. Comment rédigeras-tu ton texte?

- Développe chaque aspect en tenant compte du destinataire et des renseignements que tu as notés sur ta destination.
- Ajoute des intertitres (ex.: dates de ton périple).

6. Comment t'y prendras-tu pour réviser ton texte?

- Relis ton texte pour vérifier si chaque aspect est bien développé et documenté et si ton récit est vraisemblable.
- Fais une nouvelle lecture pour réviser tes phrases et corriger l'orthographe.
  La révision d'un texte, p. 453

7. De quelle façon présenteras-tu ton texte?

- Ajoute une carte ou une illustration de ton périple.
- Lors d'une présentation orale, prévois du matériel supplémentaire afin de capter l'attention de ton auditoire (accessoires, matériel audiovisuel, support informatique).

8. Quelle évaluation fais-tu de l'efficacité de ta démarche?

- Évalue la clarté et l'intérêt de tes propos pour ton auditoire.

Le vent dans les voiles

Zoom culturel

Des lectures

Jack LONDON

LONDON, Jack. *L'histoire de Keesh*, Fribourg, Éditions Calligram, 1997, 46 p. (Collection Storia)

Publié pour la première fois en 1907, ce roman raconte l'histoire de Keesh qui vit seul avec sa mère au bord de la mer polaire. Après quelques aventures, qui lui vaudront le respect des siens, il deviendra le chef de son clan.

KESSEL, Joseph. *Le lion*, Paris, Éditions Gallimard, 1997, 280 p. (Collection Folio junior)

Au cours d'une expédition en Afrique, un journaliste découvrira l'amour immense d'une petite fille pour un lion.

MORIN-ROTUREAU, Évelyne. *Alexandra David-Néel*, Mouans-Sartoux (Alpes-Maritimes), Éditions PEMF, 2003, 60 p. (Collection Histoire d'Elles)

Ce roman permet de découvrir la vie d'Alexandra David-Néel, célèbre exploratrice et aventurière.

VERNE, Jules. *Vingt mille lieues sous les mers*, Paris, Éditions Hachette jeunesse, 2000, 442 p. (Collection Le livre de poche)

Ce roman de science-fiction paru en 1870 est un classique du genre. À bord du *Nautilus*, le capitaine Nemo nous entraîne vers les profondeurs de la mer et nous fait découvrir des monstres fabuleux et des richesses insoupçonnées.

DESROSIERS, Sylvie. *Le mystère du lac Carré*, Montréal, Les éditions de la courte échelle, 1988, 95 p. (Collection Roman jeunesse)

Des jeunes de douze ans mettent à jour un grave complot. Ni la rigueur de l'hiver ni la tempête ne les arrêteront dans leur enquête.

Des reportages, des films et des conférences

Jacques COUSTEAU

Des explorateurs, comme Bernard Voyer, ont conquis différents endroits dont l'Everest; d'autres, tels Jacques Cousteau et son équipe, ont visité les profondeurs de la mer. Leurs reportages sont une grande source d'inspiration pour tous ceux qui aiment relever des défis. Tu peux en apprendre plus dans Internet ou à la bibliothèque.

Karen BLIXEN

La Danoise Karen Blixen s'est installée au Kenya en 1914 afin d'y exploiter une plantation de café avec l'aide de son mari. Elle y a vécu dix-sept ans et a relaté son aventure dans un roman intitulé *La ferme africaine*. Plus tard, son histoire a été portée à l'écran.

Alexandra David-Néel a été la première femme européenne à entrer au Tibet en 1924. Elle a donné des conférences partout dans le monde pour raconter son expérience. Ces conférences ont été transcrites dans des livres.

Pour rendre son histoire vraisemblable, un romancier ou une romancière doit nécessairement se documenter lorsque l'action se passe dans un lieu moins familier. Réalise l'activité suivante dans le but de comparer l'information présentée dans un récit de voyage et celle qu'on trouve dans un roman.

a) Consulte des récits de Bernard Voyer. Qu'apprends-tu sur les régions qu'il a traversées et sur les conditions climatiques du Grand Nord?

b) Ensuite, lis *L'histoire de Keesh* de Jack London. Selon toi, le romancier connaissait-il bien les régions polaires qu'il décrit?

c) Note tes commentaires dans ton carnet de lecture. Fais part de tes idées à tes camarades.

Le vent dans les voiles

DES MOTS qui expriment le lieu

L'expression du lieu

Où? En quel lieu? Pour répondre à ces questions et à d'autres semblables, il faut ouvrir l'œil.

Je réfléchis

1. Dans l'extrait suivant, relève les mots qui te donnent des indices sur le chemin emprunté par l'auteure et sur l'endroit où elle se trouve à la fin de l'extrait.

En remontant le boulevard Saint-Laurent

Récemment arrivée à Montréal, je fais connaissance avec la ville au gré de mes promenades à vélo. Aujourd'hui, j'ai décidé de parcourir le boulevard Saint-Laurent du sud vers le nord.

Odile Perpillou,
apprentie voyageuse

Cette promenade me rappelle le trajet des anciens migrants qui remontaient le boulevard à partir du port, à leur arrivée en bateau. Je les imagine partout autour de moi, un peu égarés, leur maigre bagage à la main.

Laissant les quais du Vieux-Port derrière moi, je pénètre dans le Vieux-Montréal, entre de hautes bâtisses de pierre. En quelques coups de pédale, je gravis la petite côte jusqu'au palais de justice moderne. Je m'arrête un instant à l'intersection, coincée entre un autobus et une calèche, et un flot de piétons pressés défile devant moi, frôlant ma roue avant et les naseaux du cheval impassible. À ma gauche, le clocher de la basilique Notre-Dame se dresse au loin face aux gratte-ciel centenaires de la Place d'Armes.

Le feu passe au vert. Je m'élance dans la descente, longe l'imprimerie d'un journal bien connu et franchis les portes du quartier chinois. Le boulevard prend maintenant un petit air exotique.

2. Relève les prépositions placées devant les groupes du nom ou devant les pronoms.

Ex. : *à Montréal*
autour de moi

1. derrière moi
2. dans la descente
3. dans le Vieux-Montréal
4. sur le trottoir
5. entre de hautes bâtisses de pierre
6. près de ce quartier
7. à ma gauche
8. jusqu'à ce carrefour
9. face à moi
10. à côté de moi
11. vers l'ouest

3. a) Dans l'extrait de la page 62, quelle idée les verbes en couleur expriment-ils ?

b) Trouve au moins trois autres verbes semblables du point de vue du sens.

4. a) Si tu décrivais un lieu situé à la campagne, choisirais-tu les groupes de mots ci-dessous ? Justifie ta réponse.

> le boulevard – de hautes bâtisses de pierre – un flot de piétons pressés – les gratte-ciel – une grande avenue – des centaines de magasins – d'innombrables enseignes lumineuses – des taxis – des gens d'affaires – une bouche de métro

b) Donne au moins cinq groupes de mots qui évoquent la campagne.

Le vent dans les voiles

Mise au point

L'expression du lieu

Pour représenter un lieu, on se sert :

- de mots (groupes prépositionnels, groupes de l'adverbe) qui situent les choses et les personnes dans l'espace, ou les unes par rapport aux autres ;

  Ex. : *Elle pénètre dans le Vieux-Montréal en laissant les quais derrière elle.*

  En poussant plus loin son exploration, elle découvre un endroit qu'elle ne connaissait pas.

- de mots (verbes, noms) qui expriment l'idée de déplacement ;

  Ex. : *Cette promenade me rappelle le trajet des anciens migrants qui remontaient le boulevard à partir du port, à leur arrivée en bateau.*

- de mots (noms, adjectifs) qui se rapportent au lieu.

  Ex. : *ville : gratte-ciel, boulevard, taxis, piétons pressés*

  campagne : vaste étendue, champ, paysans, rural, lac

@ L'expression du temps et du lieu, p. 460

Je m'entraîne

1. a) Parmi les groupes prépositionnels encadrés, relève ceux qui désignent un lieu.

   1 À midi, je me rends à la plage à vélo.

   2 Je lis à l'ombre de 13 h à 16 h. Ensuite, alors que la marée est au plus bas, je range mon livre dans mon sac de plage et je m'approche de la mer pour ramasser des galets.

   3 Au retour, je passe par le village pour rendre visite à ma grand-mère, simplement par plaisir, pour terminer cet après-midi en beauté.

   b) Construis une phrase dans laquelle tu emploieras deux groupes prépositionnels commençant par la même préposition (*dans*, *sur*, *en*, etc.). L'un de ces groupes devra situer quelque chose dans l'espace.

2. Lis cet extrait d'un roman de Claude Jasmin qui nous présente Clovis et son jeune frère Mario se promenant en canot.

Nous parvenons à l'**embouchure** de la Grande Baie. « C'est par là, Clovis. » En grimaçant sous le soleil levant, Mario pointe un index vers le rivage. On doit parler très fort à cause du bruit du moteur vieux modèle. « On va d'abord faire un tour au large, Mario. » [...] Nous passons à côté d'un rocher, à fleur d'eau en fin d'août. On file vers la Barque, un îlot au milieu du lac. [...]

« Mario, lève-toi et va relever le câble qui traîne dans l'**eau**! » Je répète plus fort car il ne m'a pas entendu. « Le câble! En avant, le câble de l'**ancre**! Il traîne dans l'eau! Ça nous ralentit. » Mario hésite. Se redresse doucement. **Marche** enfin vers l'avant du canot. Je me lève à mon tour. Je marche derrière lui, je lâche le guidon du moteur. Aussitôt Mario sent le danger, se retourne vers moi et grimace. [...]

Sous notre poids en avant, la frêle embarcation [...] a piqué sous l'**onde**! Mario n'a même pas pu finir son cri d'angoisse. C'est fini! On a plongé sous l'eau. Je le vois qui tente de monter, de remonter. Il n'a jamais pu apprendre à nager. Il me regarde sous l'eau, affolé. Je ferme les yeux. Je nage. Je suis remonté à la surface. Je ne vois plus le canot, le poids du moteur le maintient sans doute entre deux eaux. J'ai nagé. J'ai nagé jusqu'à l'îlot [...].

Claude Jasmin, *La sablière / Mario*, Éditions Leméac, 1979, 1986.

a) Dans le premier paragraphe, les groupes prépositionnels encadrés servent à situer les objets ou les personnages dans l'espace. Dans le second paragraphe, relève cinq groupes prépositionnels qui ont la même utilité.

b) Les noms en caractères gras se rapportent au lieu où se trouvent les personnages. Relève quatre autres noms qui se rapportent aussi à ce lieu.

c) Parmi les verbes en couleur, relève ceux qui indiquent un déplacement.

3. Lis l'extrait suivant.

Silence.

Les dernières vagues atlantiques se jettent sur une pointe de rochers brun pourpre et s'y déchirent.

Un cri de mouette.

De chaque côté du promontoire[1], la marée gonfle et remonte les estuaires[2]. À droite, la nuit commence à cacher les collines. À gauche, descend un soleil jaune soufre.

Paul Morand, New York, © Éditions Flammarion, 1988.

1. Promontoire : pointe de rochers qui s'avance en saillie au-dessus de la mer.
2. Estuaires : embouchures des fleuves.

a) Utilise les informations de l'extrait pour faire une esquisse du lieu décrit.

 b) Compare ton dessin avec celui d'un ou d'une camarade. Si tu remarques des différences, essaie d'expliquer les raisons de ces différences.

Je vais plus loin

1. a) Lis l'article *Les douze travaux de Cox* (recueil, p. 62-63) et complète les notes de lecture ci-dessous à l'aide d'indications de lieu relevées dans l'article.

Notes de lecture

1. Lynne Cox est une nageuse exceptionnelle : elle résiste à une immersion de 30 minutes ▨.

2. Cox a relevé le défi suivant : faire le tour de la planète en moins de 80 jours en nageant ▨.

3. Son périple s'est déroulé en douze étapes.
   - Son point de départ : ▨.
   - Quelques autres endroits (mers, lacs, détroits, etc.) où elle a nagé au cours de son périple : le Potomac à Washington, le long des côtes d' ▨, ▨, ▨, la mer de ▨, les cinq lacs qui bordent le mont Fuji (Japon) : ▨, ▨, ▨, ▨, ▨, le long des côtes de l'Alaska.
   - Le lieu des dernières brasses qui ont clôturé son périple : au large de ▨.

b) Prouve que le déplacement est une idée importante dans l'article sur Lynne Cox en relevant au moins dix verbes ou noms qui expriment cette idée.

2. Observe attentivement l'image ci-dessous.

a) Choisis une des personnes sur la photographie et décris le lieu où elle se trouve en suivant les consignes suivantes.

- Utilise des pronoms de la première personne (ex. : *je, me*) comme si tu te trouvais dans le lieu représenté sur la photo, à la place de la personne choisie.

  Ex. : *Devant moi se juxtaposent d'innombrables étalages très colorés.*

- Utilise des groupes prépositionnels qui permettent de te situer et de situer les objets ou les personnes les uns par rapport aux autres ou par rapport à toi-même. Encadre ces groupes prépositionnels.

  Ex. : $\boxed{Devant\ moi}$ *se juxtaposent d'innombrables étalages très colorés.*

- Utilise des mots précis pour décrire le lieu représenté sur la photo. Surligne ces mots.

  Ex. : *Devant moi se juxtaposent d'innombrables* étalages *très colorés.*

 b) Compare ton texte avec celui d'un ou d'une camarade. Quelles différences remarques-tu en ce qui a trait à l'expression du lieu? Comment peux-tu améliorer ton texte?

Le vent dans les voiles

DES GROUPES DE MOTS qui sont indispensables

Le groupe du nom

Un mot de grand renom... Le nom est le plus populaire des mots ; c'est pourquoi on le voit rarement seul... La renommée du groupe du nom tient sans doute au fait qu'il peut tout nommer, tout désigner jusque dans les moindres détails.

Je réfléchis

1. Lis les textes suivants dans lesquels les groupes du nom sont encadrés.

Texte 1

Avant de visiter ce beau **pays** montagneux, Jatinder, un adolescent indien de seize ans, et Corinne, sa meilleure amie, ont lu plusieurs **guides** touristiques. La **lecture** de ces ouvrages leur a permis de choisir leurs **sites** de prédilection et de tracer un itinéraire très précis selon leurs **goûts** réciproques.

Texte 2

Avant de visiter ce **pays**, Jatinder et Corinne ont lu plusieurs **guides**. Leur **lecture** leur a permis de choisir leurs **sites** et de tracer un itinéraire selon leurs **goûts**.

a) Classe les énoncés ci-dessous dans deux ensembles : ceux qui s'appliquent au texte 1 et ceux qui s'appliquent au texte 2.

Ⓐ Le texte ne nous apprend presque rien sur les personnages et leur projet.

Ⓑ Le texte nous permet d'en savoir assez sur les personnages et leur projet pour pouvoir les imaginer en action.

Ⓒ Le texte est riche et vivant.

Ⓓ Le texte est pauvre et ennuyeux.

b) Indique la classe grammaticale à laquelle appartiennent les mots en couleur (noyaux des groupes du nom encadrés). Comment as-tu fait pour déterminer cette classe de mots ?

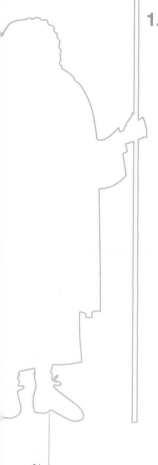

c) Relève le déterminant obligatoire devant la majorité des mots en couleur et explique comment tu fais habituellement pour reconnaître les déterminants.

d) Relève les déterminants dans la phrase ci-dessous et explique comment tu as fait pour les reconnaître.

> Dans plusieurs réserves naturelles,
> on trouve beaucoup d'animaux menacés.

e) Dans lequel des deux textes de la page 68 les groupes du nom sont-ils enrichis d'au moins un groupe de mots non obligatoire (groupe complément du nom)?

f) Selon toi, pour quelles raisons peut-il être intéressant d'enrichir un groupe du nom à l'aide d'un complément du nom?

2. a) Observe les compléments de chaque nom en couleur dans le texte 1. Relève les compléments du nom formés:

- d'un groupe de l'adjectif (un adjectif accompagné ou non d'autres mots);
- d'un groupe du nom;
- d'un groupe qui commence par une préposition (ex.: *de*).

b) Comment fais-tu pour reconnaître les adjectifs?

c) Parmi les trois types de compléments du nom que tu as relevés, lequel ne pourrait jamais être placé devant le nom?

3. Construis un schéma semblable à celui ci-dessous et complète-le de manière à illustrer la construction modèle du groupe du nom.

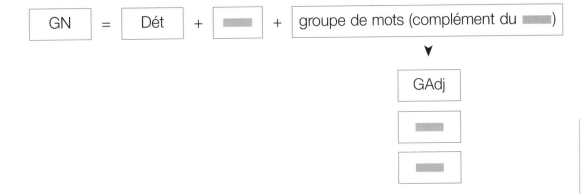

4. a) Dans la première phrase ci-dessous, les groupes du nom encadrés sont précédés d'une préposition. Relève la préposition et le déterminant devant les noms en couleur.

　　　1 La sœur de |l'enfant| admire le ciel de |la région|.
　　　2 La sœur des **enfants** admire le ciel du **Liban**.

b) Compare les mots employés devant les noms en couleur dans les deux phrases et essaie d'expliquer pourquoi, dans la deuxième phrase, on n'emploie pas *de les* ou *de le*.

5. Trouve la préposition (*à* ou *de*) et le déterminant (*le* ou *les*) compris dans les déterminants contractés en couleur dans les phrases ci-dessous.

> Rima parle souvent 1 **du** meilleur ami qu'elle avait dans son pays natal, le Liban, et elle lui écrit régulièrement. Cette semaine, dans sa lettre, elle lui raconte qu'elle est allée à la pêche 2 **aux** petits poissons 3 **des** chenaux. Elle décrit 4 **au** jeune Libanais le surprenant village sur glace où elle s'est initiée à cette pêche inusitée.

Mise au point

Le groupe du nom

Pour désigner ou décrire diverses réalités ou pour exprimer des idées, on emploie souvent des groupes du nom. Pour désigner ou décrire avec plus de précision, ou pour exprimer tes idées de façon plus claire, plus nuancée, tu peux enrichir un groupe du nom à l'aide d'un ou de plusieurs compléments du nom. Les compléments du nom enrichissent la phrase et, par conséquent, le texte.

Attention !

Le groupe du nom peut être précédé d'une préposition (*à*, *de*, *en*, *sur*, *dans*, etc.) ; les prépositions *à* et *de* sont incluses dans les déterminants contractés *au*, *aux*, *du*, *des*.

◎ Les classes de mots, p. 470
◎ Les groupes de mots, p. 473

Je m'entraîne

1. **a)** Relève le noyau des groupes du nom encadrés.

   ① Dans |leur magnifique pays|, on trouve |beaucoup de jolies fleurs odorantes|.

   ② |Toutes les semaines|, |le grand frère de Tamara| l'emmène en excursion à la montagne pour qu'elle y observe |les nombreux oiseaux de passage|.

   ③ |Chaque jour|, |cette jeune fille| étudie |quelques minutes| pour apprendre |tous les noms complexes des oiseaux de sa région|.

   b) Dans les groupes du nom encadrés, relève les déterminants.

   c) Relève les groupes de l'adjectif compléments du nom dans les groupes du nom.

2. Construis un tableau semblable au suivant (prévois seize lignes dans ton tableau). Fais ensuite les activités proposées.

| | GROUPES DU NOM | | |
Préposition	Déterminant	Nom	Complément du nom
—	*Les*	*amoureux*	*de la nature*
▨	▨	▨	▨

   a) Dans ton tableau, transcris les dix groupes dont le noyau est en couleur dans le texte ci-dessous.

---

① Les amoureux de la nature apprécieront un voyage au **Liban**, où l'on trouve beaucoup de réserves naturelles. ② Par exemple, en passant par Chlifa ou par le mont Liban, on peut atteindre Yammouné ; il s'agit d'une magnifique vallée entourée de montagnes. ③ On y trouve également plusieurs points d'eau¹. ④ Ce site enchanteur sera apprécié des **amateurs** d'archéologie. ⑤ En effet, ceux-ci seront ravis d'y admirer la beauté des **ruines** d'un temple romain. ⑥ Lorsqu'on visite la vallée de Yammouné, on peut choisir un itinéraire facile ou laborieux, selon le défi qu'on désire relever et selon ses capacités physiques. ⑦ Après une longue marche en montagne, on pourra s'asseoir au bord de l'eau pour pique-niquer en contemplant les surprenantes ruines romaines.

1. Le nom *point d'eau* est un nom composé.

Le vent dans les voiles

71

b) Dans ton tableau, ajoute, s'il y a lieu, la préposition qui précède le groupe du nom.

c) Dans ton tableau, ajoute les trois groupes du nom dont le nom noyau est en caractères gras dans le texte. Décompose le déterminant contracté placé devant les noms en gras, selon la préposition (*à* ou *de*) et le déterminant (*le* ou *les*) qu'il comprend.

d) Trouve trois autres groupes du nom qui ont un complément du nom et ajoute-les dans ton tableau.

3. Remplace les compléments du nom en couleur dans les phrases suivantes par un groupe de l'adjectif qui convient.

Ex. : *Elle photographie* les arbres qui sont d'un rouge éclatant.
➤ *Elle photographie les arbres écarlates.*

1 Dans certaines régions, nous devons faire attention aux insectes qui ont du venin.

2 Cette variété de plante pousse dans des endroits qui sont isolés et qui sont loin des chemins.

3 Elle aimerait voyager dans des pays qui sont loin.

4 Nous avons cueilli des champignons qui contiennent un poison.

4. a) Transforme le paysage d'hiver décrit ci-dessous en un paysage d'une autre saison, en remplaçant seulement des compléments du nom.

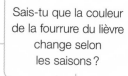

Sais-tu que la couleur de la fourrure du lièvre change selon les saisons ?

> Nous sommes maintenant au sommet de la montagne enneigée. De là-haut, le paysage d'hiver est magnifique. Les grands sapins verts côtoient les frêles bouleaux blancs et les érables dénudés. Quand nous tendons l'oreille, nous entendons les piaillements et les cris des rares oiseaux affamés. Un lièvre curieux au pelage immaculé s'approche de nous nerveusement. Il s'arrête sur un rocher recouvert d'un tapis de neige, puis s'enfuit en sautillant vers un petit ruisseau glacé où coule un très mince filet d'eau. Comme ce paysage de glace est impressionnant !

b) Encadre les groupes du nom dans lesquels tu as remplacé un complément du nom.

Préparation au projet

Voici une activité qui te préparera à dresser une liste précise d'objets essentiels à emporter en voyage.

Imagine que tu prépares une expédition au Liban. Tu veux faire des excursions en montagne, mais tu veux aussi visiter des villes, notamment Beyrouth. Suis les consignes suivantes pour dresser une liste d'objets que tu mettrais dans tes bagages.

a) Utilise dix groupes du nom avec un ou des compléments du nom et consigne-les dans un tableau semblable à celui qui suit.

Équipement nécessaire pour une excursion en montagne	Équipement nécessaire pour la visite d'une grande ville
Des bottes de marche très confortables	*Des souliers de sport légers*
▬▬	▬▬

b) Une fois ta liste terminée, souligne les compléments du nom dans les groupes du nom.

c) Si c'est possible, ajoute d'autres compléments du nom pour apporter des précisions.

Le vent dans les voiles

DES MOTS qui aiment le partage

Les accords dans le groupe du nom

> **Donner, sans rien attendre en retour...** En bon chef de bande, le nom donne son genre et son nombre au déterminant et aux adjectifs qui font partie de son groupe.

Je réfléchis

1. Parmi les déterminants ci-dessous, lesquels peut-on employer dans la première phrase ? Et dans la seconde ? Pourquoi ?

   > quatre – cette – beaucoup de – des – plusieurs – une – quelques – peu de

   ① ▢▢▢▢ personne est allée dans l'Arctique en voilier.
   ② ▢▢▢▢ personnes sont allées dans l'Arctique en voilier.

2. a) Choisis le bon déterminant entre parenthèses dans les groupes du nom encadrés.

   ① (Un / Une) équipage a vécu (un / une) aventure dans l'Arctique.
   ② Elle a trouvé (un / une) accessoire étrange dans (un / une) armoire de sa cabine.

   b) En cas de doute, comment pourrais-tu vérifier tes réponses ?

   c) Pourquoi crois-tu qu'on hésite plus souvent sur le genre des noms qui commencent par une voyelle ?

3. a) Relève le nom qui donne son genre et son nombre aux adjectifs en couleur dans chacun des groupes du nom suivants.

① Une grande demeure flottante	② Une demeure de bois flottante
③ Une bande d'ours blancs	④ Une bande d'ours impressionnante
⑤ Des ours féroces	⑥ Des ours féroces et affamés
⑦ Des ours affamés	⑧ Des ours continuellement affamés

   b) Quelle manipulation syntaxique (addition, déplacement, effacement ou remplacement) utiliserais-tu pour vérifier l'accord des adjectifs dans la colonne de droite ?

   c) Les correcteurs électroniques font parfois des erreurs en accordant les adjectifs, par exemple dans le cas des groupes du nom ② et ④. Pourquoi, selon toi ?

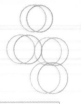

Mise au point

Les accords dans le groupe du nom

La règle d'accord du déterminant et de l'adjectif avec le nom est simple, mais les accords dans le groupe du nom comportent des pièges. Pour les éviter :

- interroge-toi sur le groupe de mots ou le mot placé devant l'adjectif ;

  Ex. : *une griffe d'ours acérée*
  une griffe et une dent pointues

- procède à des manipulations d'effacement ;

  Ex. : *une griffe d'ours acérée*

- vérifie s'il y a plus d'un donneur d'accord.

  Ex. : *une griffe et une dent pointues*

Après avoir repéré le ou les noms donneurs d'accord, détermine le genre (m. ou f.) et le nombre (s. ou pl.) de ces noms, puis vérifie leur orthographe et celle des mots auxquels ils donnent l'accord.

  f. s.   +   f. s. = f. pl.
  Ex. : *une griffe et une dent pointues*
          f. s.   f. s.
          une oreille gelée

Attention !

Certains déterminants sont invariables.

Ex. : *quatre ours blancs*
       chaque ours blanc

Les accords, p. 484

Je m'entraîne

1. Choisis le déterminant correctement accordé entre parenthèses.

   1. Pour eux, (cet / cette) aventure sera inoubliable.

   2. Ils ont beaucoup apprécié (leur / leurs) voyage.

   3. La découverte de l'Arctique est (un / une) épisode de leur vie qu'ils raconteront à (leur / leurs) petits-enfants.

   4. (Quel / Quels / Quelle / Quelles) émotions ils ont vécues !

   5. Le chef de mission fait part (au / aux) journaliste de ses réflexions sur les difficultés de l'ours polaire attribuables (au / aux) variations climatiques.

2. Orthographie les noms entre parenthèses selon le nombre (s. ou pl.) et, s'il y a lieu, selon le genre (f. ou m.), en tenant compte du contexte.

1 Les (membre) de ce surprenant (équipage) retourneront-ils aux (Île) de la Madeleine, le point de départ de leur (expédition) dans l'Arctique ?

2 Allison et Yu, qui ont vu le documentaire sur l'expédition du *Sedna IV* dans l'Arctique, croient qu'elles seront aussi un jour d'excellentes (réalisateur), car elles ont une (sensibilité) très vive.

3. a) Transcris à double interligne les dix groupes du nom encadrés et les trois groupes prépositionnels surlignés.

Sur cette route très peu fréquentée, l'équipage qui a vraisemblablement emprunté la même trajectoire que les deux navires du commandant John Franklin, échoués en 1845, est tombé sur des débris de navires en plus de retrouver un crâne humain. Un évènement extraordinaire, raconte [Jean Lemire, chef de la mission du *Sedna IV*], rappelant que cette mission des grands explorateurs partis à la recherche du passage Nord-Ouest, il y a plus d'un siècle, avait coûté la vie à 129 personnes. [...] Avec son équipage, Jean Lemire, réalisateur et chef de mission de cette aventure, s'est penché sur la vulnérabilité de

l'Arctique afin d'observer les effets désastreux des variations climatiques sur la glace et la faune. Ne trouvant plus, sur les banquises disparues, la nourriture nécessaire, l'ours polaire a vu son temps de chasse réduit de quatre semaines, ce qui a valu à l'équipage de croiser pendant son expédition quelques carcasses du grand animal, mort de faim.

« Mission Arctique... 21 000 km plus tard », *Le Quotidien*, 5 novembre 2003.

b) Encercle le déterminant contracté au début des trois groupes prépositionnels.

c) Souligne le noyau des dix groupes du nom que tu as transcrits ; souligne aussi le noyau des trois groupes du nom précédés d'un déterminant contracté. Au total, tu devrais donc souligner treize noms.

d) Justifie les accords dans les groupes du nom en procédant de la façon suivante :

- indique le genre et le nombre du nom au-dessus de chacun des treize noms que tu as soulignés ;

- trace une flèche reliant le nom à son déterminant et une autre flèche reliant le nom à l'adjectif ou aux adjectifs qui le complètent.

Je vais plus loin

Préparation au projet

Voici une activité qui t'aidera à développer des automatismes quand tu réviseras un texte où l'on trouve beaucoup d'adjectifs, par exemple un récit de voyage.

Observe les deux endroits de villégiature ci-dessous.

a) Décris les principales caractéristiques de ces deux paysages.

- Construis cinq ou six phrases selon le modèle suivant :

  Dans tel paysage, on voit...

  il y a...

  on peut admirer... etc.

- Emploie des groupes du nom contenant les mots suivants en respectant le genre et le nombre des mots proposés :

> calme – sinueuse – écarlate – impressionnantes – clair
> – quatre – majestueux – bordée – plusieurs

b) Après avoir composé tes phrases, révise-les comme dans l'exemple suivant.

Ex. : *Dans le superbe paysage montagneux, on observe*

une végétation verdoyante.

DES PHRASES qui nécessitent des virgules

L'emploi de la virgule à l'intérieur de la phrase

> **Vigilance !** C'est le mot d'ordre des virgules qui surveillent certains groupes de base et se plaisent à les suivre dans tous leurs déplacements.

Je réfléchis

1. Lis le texte suivant.

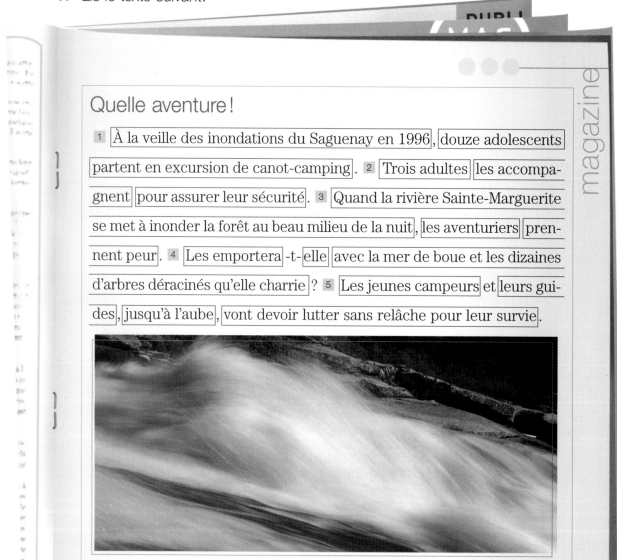

Quelle aventure !

[1] À la veille des inondations du Saguenay en 1996, douze adolescents partent en excursion de canot-camping. [2] Trois adultes les accompagnent pour assurer leur sécurité. [3] Quand la rivière Sainte-Marguerite se met à inonder la forêt au beau milieu de la nuit, les aventuriers prennent peur. [4] Les emportera -t-elle avec la mer de boue et les dizaines d'arbres déracinés qu'elle charrie ? [5] Les jeunes campeurs et leurs guides, jusqu'à l'aube, vont devoir lutter sans relâche pour leur survie.

D'après Yvan Martineau, « Seuls la nuit », *Géo Plein Air*, août 1997, p. 23 à 26.

a) Observe les groupes de base encadrés dans les phrases du texte *Quelle aventure!* (p. 78). Classe-les dans un tableau semblable à celui ci-dessous.

PHRASES DE BASE		
Groupe(s) du nom sujet(s)	Groupe du verbe prédicat	Groupe complément de phrase
1 *douze adolescents*	*partent en excursion de canot-camping*	*À la veille des inondations du Saguenay en 1996*
▬	▬	▬

b) Observe l'emploi de la virgule dans le texte. Associe chaque phrase à l'une des règles de ponctuation ci-dessous.

Ⓐ Le groupe complément de phrase est suivi d'une virgule s'il est placé au début de la phrase.

Ⓑ Le groupe complément de phrase est encadré par des virgules s'il est placé au milieu de la phrase.

Ⓒ Le groupe complément de phrase n'est pas précédé d'une virgule s'il est placé à la fin de la phrase.

2. Compare les deux phrases suivantes. Explique la présence d'une virgule devant le groupe du verbe prédicat de la deuxième phrase.

1 Trois adultes | les accompagnent | pour assurer leur sécurité.

2 Trois adultes, des guides, | les accompagnent | pour assurer leur sécurité.

Mise au point

L'emploi de la virgule à l'intérieur de la phrase

Pour appliquer les règles de ponctuation avec les groupes de base de tes propres phrases, tu dois suivre les trois étapes ci-dessous.

1. Reconnaître les groupes de base dans tes phrases.
2. Comparer la construction de tes phrases avec celle de la phrase de base.
3. Te rappeler les règles de ponctuation liées aux groupes de base.

📷 La phrase de base, p. 464
📷 La ponctuation à l'intérieur de la phrase, p. 483

Le vent dans les voiles

Je m'entraîne

1. Dans les phrases suivantes, les parties surlignées mettent en évidence la présence ou l'absence d'une virgule.

magazine

Le 14 juillet 1996, le guide Marcel Savoie [1] emmène [2] un groupe de douze adolescents en excursion de canot-camping. Deux autres guides [3] accompagnent Savoie et les adolescents. Durant les trois premiers jours, [4] les jeunes [5] sont initiés aux rudiments du plein air. Ils [6] font diverses activités [7] sous la supervision de leurs guides. Enfin arrive [8] le jour du départ pour la randonnée en canot. Les canoteurs et leurs guides [9] commencent la descente de la rivière Sainte-Marguerite. Ces derniers, au [10] cours du premier jour de la descente, [11] amènent les jeunes à approfondir certaines techniques.

D'après Yvan Martineau, « Seuls la nuit », *Géo Plein Air*, août 1997, p. 23 à 26.

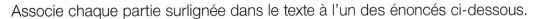

Associe chaque partie surlignée dans le texte à l'un des énoncés ci-dessous.

(A) Il n'y a pas de virgule entre le groupe du nom sujet et le groupe du verbe prédicat.

(B) Il n'y a pas de virgule avant le groupe complément de phrase placé après le groupe du nom sujet et le groupe du verbe prédicat, comme dans la phrase de base.

(C) Il y a une virgule après le groupe complément de phrase placé au début de la phrase.

(D) Il y a une virgule avant et après le groupe complément de phrase placé au milieu de la phrase.

2. a) Récris la dernière phrase du texte de la page 80 de deux façons. Place le groupe complément de phrase à un endroit différent dans chaque cas.

b) Encadre le groupe complément de phrase dans chacune de tes phrases et, s'il y a lieu, encercle la ou les virgules qui l'accompagnent.

3. Dans le court texte ci-dessous, quatre virgules ont été supprimées. Transcris les phrases, encadre les groupes compléments de phrase et ajoute les virgules manquantes.

Le lendemain il pleut à torrents. Les trois guides et les douze adolescents restent au campement. Vers la fin de l'après-midi le niveau de la rivière devient inquiétant. Les guides pour plus de sécurité démontent le campement afin de l'installer loin de la plage.

D'après Yvan Martineau, « Seuls la nuit », *Géo Plein Air*, août 1997, p. 23 à 26.

Je vais plus loin

L'activité suivante te propose d'écrire un texte contenant de nombreuses indications de temps et de lieu. C'est dans ce type de texte, notamment, qu'il est important de vérifier l'emploi de la virgule avec les groupes de base.

a) Lis l'horaire de l'excursion en canot proposé ci-dessous.

Dates : 13 et 14 juin 2005

Lieu : rivière du Diable, réserve faunique Rouge-Matawin (Hautes-Laurentides)

JOUR 1

9 h	Arrivée. Mise à l'eau des canots.
Matinée	Révision des consignes de sécurité et des techniques de navigation en canot. Maniement des embarcations en eau calme et en eau vive. Descente de petits rapides de classe R1.
12 h	Dîner. Baignade et observation de la faune.
Après-midi	Descente de quelques rapides de classe R1 et R2. Distance : environ 10 km.
16 h	Fin de la première étape du parcours. Installation du campement aux abords de la rivière. Souper. Feu.

JOUR 2

6 h	Lever. Petit déjeuner, préparation du pique-nique. Levée du campement.
Matinée	Poursuite de la descente (eau calme). Distance : environ 15 km.
11 h 30	Pique-nique sur la plage (rive droite).
Après-midi	Portage sur 1 km pour éviter un canyon très difficile avec rapides de classe R4. Poursuite de la descente, en eau vive cette fois, avec des rapides de classe R2 et R3. Distance : environ 10 km.
15 h	Fin de la deuxième étape du parcours. Randonnée pédestre aux alentours jusqu'à l'arrivée de la navette.
17 h	Retour à Saint-Hyacinthe.

b) Décris dans tes propres mots le déroulement de l'excursion (ou seulement certains moments de l'excursion) en respectant les consignes suivantes.

- Dans ton texte, utilise la première personne (du singulier ou du pluriel), comme si tu faisais partie du groupe de canoteurs.

- Utilise au moins cinq groupes compléments de phrase pour apporter des précisions (de temps et de lieu, par exemple).

- Une fois ton texte terminé, encadre les groupes compléments de phrase et vérifie l'emploi de la virgule avec les groupes de base.

Ex.: Le 13 juin , d'autres jeunes et *moi partons* en excursion de canot-camping dans la réserve faunique Rouge-Matawin . *À notre arrivée à la rivière du Diable* , *nous*...

DES PHRASES qui situent dans le temps

La subordonnée complément de phrase

> **Quand ? Depuis quand ? Jusqu'à quand ?...** Si tu n'as pas de réponse à ces questions, certaines subordonnées en auront.

Je réfléchis

1. Lis les deux phrases suivantes en prêtant attention aux parties en couleur.

   1 Pendant qu'il voyageait à bord de son canot pneumatique, cet homme ne s'est nourri que de produits de la mer.

   2 Pendant son voyage à bord de son canot pneumatique, cet homme ne s'est nourri que de produits de la mer.

   a) Les parties en couleur ont un point en commun : leur sens. Quelle précision apportent-elles à la phrase ?

   b) À quel groupe de la phrase de base les parties en couleur appartiennent-elles : au groupe du nom sujet, au groupe du verbe prédicat ou au groupe complément de phrase ? Quelles manipulations peux-tu utiliser pour le savoir ?

   c) Repère la partie en couleur qui contient un verbe conjugué : c'est une phrase subordonnée. Classe les éléments de cette subordonnée dans un tableau comme celui-ci.

SUBORDONNÉE COMPLÉMENT DE PHRASE			
Subordonnant	Groupe du nom sujet	Groupe du verbe prédicat	Groupe complément de phrase
▬	▬	▬	▬

   d) Parmi les subordonnants suivants, lesquels peuvent avoir une valeur de temps, comme *pendant que* ?

   > quand – parce que – lorsque – si – avant que – afin que – après que – jusqu'à ce que

e) Pour montrer ce que tu as appris au sujet de la subordonnée complément de phrase, réponds aux questions suivantes.

- Quelle précision apporte-t-elle à la phrase?
- Quelle est sa fonction dans la phrase?
- Qu'est-ce qui caractérise sa construction?

2. Relève l'erreur de ponctuation dans le paragraphe ci-dessous. Justifie ta réponse.

> Le naufragé était dans un piteux état. Quand il a touché terre après 113 jours de mer. Il pesait 25 kilos de moins et présentait de nombreux problèmes de santé (anémie, troubles oculaires, douleurs musculaires, etc.).

Mise au point

La subordonnée complément de phrase

La subordonnée complément de phrase apporte une précision à la phrase. Grâce à son subordonnant (ex.: *quand, lorsque, pendant que, avant que, après que*), elle situe, dans le temps, un fait par rapport à un autre.

avant   après

Ex.: *Beaucoup de naufragés s'évanouissent avant que les secours arrivent.*

D'autres types de constructions peuvent jouer le même rôle, par exemple un groupe prépositionnel.

Ex.: *Beaucoup de naufragés s'évanouissent avant l'arrivée des secours.*

Attention!

La subordonnée complément de phrase ne s'emploie pas seule: elle complète un groupe du nom sujet et un groupe du verbe prédicat. Elle a la fonction de complément de phrase.

a

Ex.: *Beaucoup de naufragés s'évanouissent. Avant que les conditions de vie deviennent insupportables.*

- Les subordonnées compléments de phrase, p. 480
- Les groupes de mots, p. 473

Je m'entraîne

1. Lis le texte suivant en portant attention au sens des parties en couleur.

Des conditions de voyage particulières

Alain Bombard pratique la médecine **dans un hôpital d'une ville du bord de la mer**. **Quand on lui apporte les corps de 43 marins morts dans un naufrage**, sa vie change. **Dans le but de sauver la vie d'éventuels naufragés**, le docteur se met à étudier les conditions de survie en mer. **Après de fructueuses recherches**, il décide de tenter une opération de survie **pour valider ses hypothèses**. Ainsi, à 28 ans, Bombard s'aventure en mer **dans des conditions comparables à celles des naufragés**. **Pendant qu'il parcourt plus du quart de la circonférence de la Terre à bord d'un canot pneumatique**, Bombard ne se nourrit que de produits de la mer (plancton, poisson, jus de poisson, etc.).

On sait maintenant qu'il est possible de vivre en mer durant plusieurs mois sans autres ressources que celles de la nature **parce qu'Alain Bombard l'a fait**. **Afin que son expérience profite au plus grand nombre**, le médecin a écrit un livre dans lequel il raconte son épreuve.

Alain Bombard se souvient...

a) Relève les parties en couleur qui apportent une précision de temps.

b) Dans les parties de phrase que tu as relevées, encadre les subordonnants, souligne les verbes conjugués et surligne les subordonnées compléments de phrase.

Ex. : *Lorsqu'il est arrivé à la Barbade après 113 jours en mer, Alain Bombard était dans un piteux état.*

2. **a)** Lis le texte suivant une première fois, puis relis-le sans tenir compte des parties en couleur. Que remarques-tu?

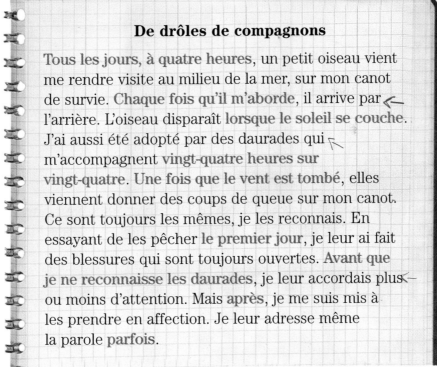

De drôles de compagnons

Tous les jours, à quatre heures, un petit oiseau vient me rendre visite au milieu de la mer, sur mon canot de survie. Chaque fois qu'il m'aborde, il arrive par l'arrière. L'oiseau disparaît lorsque le soleil se couche. J'ai aussi été adopté par des daurades qui m'accompagnent vingt-quatre heures sur vingt-quatre. Une fois que le vent est tombé, elles viennent donner des coups de queue sur mon canot. Ce sont toujours les mêmes, je les reconnais. En essayant de les pêcher le premier jour, je leur ai fait des blessures qui sont toujours ouvertes. Avant que je ne reconnaisse les daurades, je leur accordais plus ou moins d'attention. Mais après, je me suis mis à les prendre en affection. Je leur adresse même la parole parfois.

D'après Alain Bombard, *Naufragé volontaire*, © Éditions Flammarion, 1970, 301 p. (Collection Mer)

b) Dans le texte, relève les quatre phrases qui contiennent des subordonnées compléments de phrase. Dans chacune d'elles, encadre le subordonnant de temps et souligne le verbe conjugué.

Ex.: *Je me suis pris d'affection pour les daurades* après que *je les* eus reconnues.

c) Replace les faits suivants dans l'ordre chronologique.

① L'homme n'accorde pas d'attention aux daurades.

② L'homme reconnaît les daurades.

③ L'homme blesse les daurades.

④ L'homme se prend d'affection pour les daurades.

3. Parmi les subordonnants ci-dessous, lesquels peuvent remplacer le subordonnant dans la phrase sans en changer le sens?

au moment où – quand – jusqu'à ce que – après que – avant que – alors que

L'oiseau disparaît lorsque le soleil se couche.

4. Récris les phrases suivantes en remplaçant les parties en couleur par des subordonnées compléments de phrase. Utilise le subordonnant indiqué entre parenthèses.

1 En essayant de pêcher ces daurades, je leur fais des blessures au dos. (alors que)

2 Les daurades se dispersent prudemment à l'approche d'un requin. (lorsque)

3 Après avoir été attaquées par un requin, les daurades reviennent prudemment. (après que)

Je vais plus loin

Préparation au projet

Les subordonnées compléments de phrase et les autres indications de temps sont essentielles pour situer les évènements les uns par rapport aux autres dans un récit. L'activité suivante te donnera l'occasion d'en employer dans un court texte.

a) Lis cet extrait du carnet de bord d'Alain Bombard.

> Dans la nuit du 12 au 13 novembre, un requin (ou du moins je pense que c'est un requin) vient me faire une visite. [...] Chaque fois que je rencontre un requin de jour, je suis très tranquille : je lui donne le coup de rame rituel sur le nez, après quoi il se sauve. Mais la nuit...

Alain Bombard, *Naufragé volontaire*, © Éditions Flammarion, 1970, 301 p. (Collection Mer)

b) Imagine la suite des évènements et raconte-la en suivant les consignes ci-dessous.

• Dans ton texte, utilise des pronoms de la première personne (ex. : *je, moi*) comme si tu vivais toi-même ce que tu racontes.

• Emploie au moins deux subordonnées compléments de phrase. Utilise les subordonnants de temps *quand* ou *lorsque* une seule fois.

• Après avoir écrit ton texte, encadre les subordonnants au début des subordonnées de temps et assure-toi qu'ils conviennent.

• Assure-toi que les subordonnées compléments de phrase ne sont pas exclues des phrases qu'elles complètent à cause d'une ponctuation incorrecte.

Ex. : *Je fixe mon couteau à l'extrémité de ma rame* 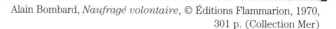*pendant que le requin s'éloigne quelques instants de mon canot.*